PLC

HOFF
GERDDI NATUR
CYMRU

Golygwyd gan
Bethan Mair

Gomer

Cyhoeddwyd yn 2011 gan Wasg Gomer,
Llandysul, Ceredigion SA44 4JL.

ISBN 978 1 84851 360 0

Dymuna'r cyhoeddwyr gydnabod cymorth
Cyngor Llyfrau Cymru.

Argraffwyd a rhwymwyd yng Nghymru gan
Wasg Gomer, Llandysul, Ceredigion.

DIOLCHIADAU

Diolch

— i Wasg Gomer am ofyn i mi gasglu'r cerddi ynghyd, gan roi esgus i mi ymgolli mewn llyfrau barddoniaeth am fisoedd;

— i'r naturiaethwraig lengar Bethan Wyn Jones, ac i'w dilynwyr ffyddlon yn yr *Herald Gymraeg* (*Daily Post*) ac ar raglen Radio Cymru, *Galwad Cynnar*, am roi eu barn;

— i bob un o'r beirdd a ysbrydolwyd gan fyd natur, ac i'r gweisg a gyhoeddodd y cerddi hyn gyntaf, am roi eu caniatâd i ailgyhoeddi'r cerddi i gyd;

— i Elin Maher am ei chymorth wrth gasglu'r gwaith ynghyd;

— yn fwy na neb, i fy mam, Dorothy Hughes, trysorfa fwy nag *Y Flodeugerdd Gymraeg*, a thrysor mwy nag y gallaf fynegi byth. Cyfrol iddi hi yw hon.

RHAGAIR

Croeso i'r chweched casgliad o 'hoff gerddi' Gomer. Perthyn i'r isgyfres o gyfrolau ar un thema benodol y mae *Hoff Gerddi Natur Cymru*, chwaer i *Hoff Gerddi Serch Cymru*, *Hoff Gerddi Nadolig Cymru* a *Hoff Gerddi Digri Cymru*. Y tro hwn, thema byd natur sy'n cael sylw – 'blodau-gerdd' efallai, yn lle'r flodeugerdd arferol? (Gyda diolch i Hywel Gwynfryn am y ffraethineb.)

Mae yma dipyn mwy na blodau, serch hynny, er bod y rheiny'n cael eu lle haeddiannol. Anifeiliaid, adar, golygfeydd ysblennydd – cynrychiolir pob agwedd ar fyd natur yma. Gan mai lle i ddim ond cant o gerddi sydd rhwng y cloriau, bu'n rhaid rhoi rhyw fath o ganllaw i mi fy hun; felly i bwrpas y detholiad hwn, ystyriwyd bod byd natur yn cwmpasu pethau sy'n bodoli o'u rhan eu hunain, fwy neu lai, heb fawr gymorth gan bobl i genhedlu a thyfu. I bwrpas y casgliad hwn, nid yw dyn yn rhan o fyd natur. Ac eto, ni ellir osgoi dylanwad pobl yn y cerddi hyn, oherwydd dehongliadau beirdd a welodd ac a brofodd ryfeddod y cread o'u cwmpas yw holl gynnwys y gyfrol fach hon. Ac ambell waith, bu'n rhaid plygu'r rheol, am fod y gerdd yn haeddu'i lle.

Afraid dweud bod digonedd o gerddi am fyd natur i ddewis ohonynt. Wrth holi'r cyhoedd pa gerddi natur oedd eu ffefrynnau, daeth gwaith llawer o hoelion wyth barddoniaeth Gymraeg i'r brig, gan gynnwys cerddi enwocaf R. Williams Parry, Eifion Wyn, T. Llew Jones a Dic Jones. Mae yma rai cerddi gan enwau llai adnabyddus efallai – englynion sydd, yn aml, wedi angori yn y cof lawer mwy nag a wnaeth enwau eu cyfansoddwyr. Dywedaf 'Hel a didol diadell' ac fe wyddoch ar amrantiad mai'r englyn hwnnw i'r ci defaid ydyw. Ond pwy oedd y bardd? Ydi, mae ateb hynny'n dipyn mwy o her. Fe gewch yr ateb ar dudalen 33.

Cerddi yn perthyn i'r ugeinfed ganrif sydd yma'n bennaf, er bod yr hynaf o'u plith yn dyddio'n ôl i adeg yr Hengerdd, dros fil o flynyddoedd a mwy yn ôl, a'r mwyaf diweddar yn gynnyrch ymryson y Beirdd yn Eisteddfod Genedlaethol Cymru, Wrecsam, ychydig fisoedd cyn cyhoeddi'r gyfrol hon. Rhyfedd mor ddigyfnewid yw ymateb y beirdd i'r byd o'n cwmpas ar hyd y canrifoedd hynny. Ac eto, ai rhyfedd mewn gwirionedd? Yr un peth sefydlog am fyd natur yw ei hirhoedledd. Bu yma bob math o goed, blodau a chreaduriaid ar y blaned, heb sôn am fynyddoedd, afonydd a moroedd am filiynau o flynyddoedd cyn bod yr un sôn am *homo sapiens*. Ac mae'n hollol bosib y bydd bywyd yn goroesi ar ôl i ddyn wneud ei orau i ddinistrio'r Ddaear hefyd. Trechaf treisied yw hi ym myd natur ac ni ellir osgoi hynny yn llawer o'r cerddi hyn. Er gwaetha'i harddwch parlysol ar adegau, ni ellir gweld holl ogoniant y byd heb ystyried y creulondeb – yn llythrennol, ei lond o waed – sydd mor hanfodol i barhad rhywogaethau o greaduriaid. Byd natur hefyd yw'r trosiad mwyaf uniongyrchol sydd gennym am ein marwoldeb ni ein hunain, ond mae hi'n llawer haws deall cwymp y dail a dyfodiad y gwanwyn nag ydyw i esbonio byw a marw dynol.

Cyfrol o hen gyfeillion sydd yma ar un wedd. Fel byd natur ei hun, mae yma bob lliw a llun, yn fawr a bach, yn ddoeth a gwirion, ond mae gan bob un ei werth a'i briod le. Gobeithio y cewch fwynhad yn eu cwmni.

BETHAN MAIR
Awst 2011

viii

CYNNWYS

NATUR

Awn o wib ein priffyrdd ni
Am ennyd i Gwmhowni.
Bydd gallt o gerdd i'w cherdded
O ddarn i ddarn, rhai a ddwed
Am ôl dyn, am leuad wen,
Am fwlch ac am fwyalchen
A ganai yn y Gwanwyn
A'r llais clir yn llonni'r llwyn.
Bydd daear fyw'n byw a'n bod
Yn dyfiant o gerdd dafod
A'r llwybrau a geiriau'r gân
Yn y cof yn gylch cyfan.

MÊL

Sgwn i pam nad oes gwenyn – eleni
yn glanio ar flodyn.
Yn araf daw'r haf ei hun
i farw fesul diferyn.

O LILI WEN FACH

O lili wen fach, o ble daethost di,
A'r gwynt mor arw ac mor oer ei gri?
Sut y mentraist ti allan drwy'r eira i gyd?
Nid oes flodyn bach arall i'w weld yn y byd!

Ond mae gennyt fantell dros dy wisg wen,
A'r ffordd fwyaf dengar o blygu dy ben.
Nid oes eira na gwynt, nid oes dewin na gwrach,
All fentro gwneud niwed i'r lili wen fach.

BLODAU'R GWYNT

O ddu leiandy'r gaeaf
  Y dônt, yn dyrfa wen,
A gwyntoedd Mawrth yn gyrru,
  A'r brigau'n llwm uwchben.
Yn unigfeydd y goedlan
  Yr oedant ar eu hynt,
A thegwch eu gwyryfdod
  A ddena serch y gwynt.

Fe ddaw i sibrwd wrthynt
  Ei gyfrinachau mwyn,
A dawnsiant yn ei freichiau
  Yn encilfeydd y llwyn.
Daw'r haul a'r gawod heibio
  I'w cyfarch ar eu hynt,
Ond gwell, mil gwell, yw ganddynt
  Gusanau gwyllt y gwynt.

Wyryfon hoff, cewch wybod,
  Fel llawer morwyn ffôl,
Am wynfyd serch a'i ddolur,
  Cyn mynd i'r pridd yn ôl
Yn welw a thoredig –
  A daw i ben eich hynt:
Y fer garwriaeth felys,
  A gwyllt gusanau'r gwynt.

EIRLYSIAU

Gwyn, gwyn
Yw'r gynnar dorf ar lawr y glyn.
O'r ddaear ddu y nef a'u myn.
Golau a'u pryn o'u gwely pridd
A rhed y gwanwyn yn ddi-glwy
O'u cyffro hwy uwch cae a ffridd.

Pur, pur,
Wynebau perl y cyntaf fflur.
Er eu gwyleidd-dra fel y dur
I odde' cur ar ruddiau cain,
I arwain cyn y tywydd braf
Ymdrech yr haf. Mae dewrach 'rhain?

Glân, glân,
Y gwynder cyntaf yw eu cân.
Pan elo'r rhannau ar wahân
Ail llawer tân fydd lliwiau'r tud.
Ond glendid glendid yma dardd
O enau'r Bardd sy'n llunio'r byd.

EIRLYSIAU

Ni chlywais lais un utgorn
　Uwch bedd y gaeaf du,
Na sŵn fel neb yn treiglo
　Beddfeini, wrth ddrws fy nhŷ.
Mi gysgwn mor ddidaro
　Â Pheilat wedi'r brad;
Ond grym yr Atgyfodiad
　A gerddai hyd y wlad.

Oblegid pan ddeffroais
　Ac agor heddiw'r drws
Fel ganwaith yn fy hiraeth,
　Wele'r eirlysiau tlws
'Oll yn eu gynau gwynion
　Ac ar eu newydd wedd
Yn debyg idd eu Harglwydd
　Yn dod i'r lan o'r bedd.'

CENHINEN

Llond berfa o sment,
A gweithwyr mewn esgidiau hoelion llychlyd
Yn ei rawio, yn beiriannol,
Rawiad a rhawiad,
Haen ar haen,
Gan gloi y gallu creadigol yn y pridd
A thrampio i ffwrdd at job arall.

Gwanwyn,
A bywyd ir yn ymwthio'n anorfod
Don a thon o gryndod gwyryfol,
Yn gwegian, hollti, torri trwodd
Yn hafn o liw fel haul.
Pen melyn uwch y sment ar feingoes werdd
Yn plygu'n wylaidd-orfoleddus tua'r llawr.

DAFFODIL

Fe'th welais di ar lawnt y plas
A gwyntoedd Mawrth yn oer eu min;
Ar feysydd llwyd a gweirglodd las,
Ac awel Ebrill fel y gwin;
Ni welwyd un erioed mor llon,
Â'th fantell werdd a'th euraid rudd,
Yn dawnsio yn y gwynt a'r glaw
I bibau pêr rhyw gerddor cudd.

Fe'th welais di mewn llestr pridd
Ar ffawydd fwrdd gwerinwr tlawd;
Mewn ffiol ddrud o risial pur
Yn neuadd wych y da ei ffawd;
Ond ofer yno bob rhyw gerdd;
Ni ddawnsit mwy; ac ar dy rudd
Roedd hiraeth am y gwynt a'r glaw,
A phibau pêr y cerddor cudd.

CLYCHAU'R GOG

Dyfod pan ddêl y gwcw,
　　Myned pan êl y maent,
Y gwyllt atgofus bersawr,
　　Yr hen lesmeiriol baent;
Cyrraedd, ac yna ffarwelio,
　　Ffarwelio - Och na pharhaent!

Dan goed y goriwaered
　　Yn nwfn ystlysau'r glog,
Ar ddôl a chlawdd a llechwedd
　　Ond llechwedd lom yr og
Y tyf y blodau gleision
　　A dyf yn sŵn y gog.

Mwynach na hwyrol garol
　　O glochdy Llandygái
Yn rhwyfo yn yr awel
　　Yw mudion glychau Mai
Yn llenwi'r cof â'u canu;
　　Och na bai'n ddi-drai!

Cans pan ddêl rhin y gwyddfid
　　I'r hafnos ar ei hynt
A mynych glych yr eos
　　I'r glaswellt megis cynt,
Ni bydd y gog na'i chlychau
　　Yn gyffro yn y gwynt.

DIC JONES

GWANWYN

O anfon, Glamai, dy fwyn golomen
Goruwch y dilyw i gyrchu deilen,
Tyrd dithau'r wennol yn ôl â'r heulwen
I laesu aerwy gaeafol Seren,
Tafola dy ffliwt felen – negro'r gerdd,
A tharo gyngerdd ar eitha'r gangen.

Tyrd, awel Erin, i'r tir dolurus
I adfer hyder i fro ddifrodus,
Croesed y sianel dy gawod felys
A etyl ofid y gwynt dolefus,
Yn ei suo croesawus – tawdd yr iâ,
Ac ymlid eira'r cymylau dyrys.

Pan ddaw eirlaw yr hirlwm
Ar sguboriau'r lloriau llwm,
Mor hir yw'r tymor eira,
Mor hwyr yn dyfod mae'r ha'.

Dur cas bwledi'r cesair
Yn curo ar do'r sied wair,
A'i byrnau hi'n dwys brinhau
O weld gwaelod y golau.

Haflo yn chwilio'n ddiflas
O glawdd i glawdd flewyn glas,
A disgwyl, disgwyl bob dydd
Yn adwyau ei dywydd.

Su druenus dwyreinwynt
A strêm ddidostur ei wynt
Yn deifio'r tir, difa'r twf,
Drwy'i fileinder, a'i flaendwf.

Gwynt claddu yn chwythu'n chwyrn
Drwy y wisg hyd yr esgyrn,
A phob hyder yn fferru
Yn serio dwys ei rew du.

Ond y mae newid ym min ei awel
A lleuad arall ar y llwyd orwel,
Fe gwyd y bustych eu pennau'n uchel
A phrancio o ffroeni y cyffro anwel,
Mae llais rhyw gymell isel – yn dangos
Y ffordd i'r rhos ac i ffwrdd o'r rhesel.

★   ★   ★

Gwahoddwyd degau heddiw
Draw o draeth i Droed-y-rhiw,
I dalar gynnar y gwys –
Ysbrydion dros baradwys.

Mae gwanwyn pob gwanwyn gynt
Yn eu hwylo a'u helynt,
A diddiwedd ryfeddod
Ei fuan dwf yn eu dod,
Rhyw un neu ddwy yn troi'n ddeg,
A channoedd yn troi'n chwaneg.

Oni yrr Ffan hwynt ar ffo –
A'i bogeilwib fugeilio,
A chodant yn ffluwch wedyn
O'r llawr fel golch fore Llun.

Corws cras eu crio hyll
Yn disgyn yn fflyd esgyll
Ar loyw bridd, lle'r ail barhâ
Hir fatel eu pryfeta.

Cyn troi'n gonfoi pigynfain
Gyda'r hwyr dros frig y drain
Ar eu gwib i Ben Cribach,
Adre â'u bwyd i'w rhai bach.

★   ★   ★

Ym môn y clais gwelais gyrff
Ŵyn barugog eu breugyrff.
Toll lawdrwm dant y llwydrew,
Teganau trist gwynt y rhew.

Dau hyll geudwll llygadwag
I wyll nos yn syllu'n wag,
A'r hen frain fry ar y rhos
Am eu hawr yn ymaros.

Yr amddifad ddafad ddof
A'i hing heb fynd yn angof,
A'i chader yn diferu
Gan faich y sugno na fu.

Fe flingaf flew eu hangau
A gwisgo'u crwyn am ŵyn iau,
I laesu, nes daw'n lasach,
Eisiau bwyd rhyw Esau bach.

Ond y mae ŵyn hyd y maes,
Ŵyn arianfyw'n yr henfaes,
Yn bendithio'n gynffonwyllt
Y tap gwin â'u topi gwyllt.

Heini pob oen ohonynt
Yn dechrau'i gampau'n y gwynt –
Dwynaid a sbonc drydanol
Gan ffroengrych edrych o'i ôl,

A gwallt-gyrliog wyllt garlam
O follt i ymyl ei fam.

Gwn y daw mewn deunawmis
Yr oen ym mhoen ei bum mis,
I dirion goed yr hen gae
Ar ei encil i'r uncae.

A gwn y dwg un gwannaidd,
O drwyn a brid yr hen braidd,
I ddeintio'n ei ffordd yntau
Y ddaear werdd i'w hirhau.

★   ★   ★

Draw ar y rhos mae aradr yr oesau
Eto'n teilwrio'r hen bentalarau,
Yn gwysi dyfnion y gesyd ofnau
Y gaeaf oediog a'i fil gofidiau,
Ac i'm golwg mae golau – haul yr haf
Yn hollti araf ei glân gylltyrau.

Fe ddaw â'r gwanwyn o'r ddaear gynnes,
Hen famog feichiog y praidd a'r fuches,
Mae ei stori ym mhob cymwys deires,
A'm dyddiau innau, wyf fab ei mynwes,
O lwch ei hisel loches – mae'r sychau
Yn troi dalennau trwyadl ei hanes.

Mae'r had a heuwyd ym more daear
O hyd o dan glo'i dwy aden glaear
Yn disgwyl cennad yr haul a'r adar
I harddu â'u deilios bridd y dalar,
Dan groglithfaen y braenar – mae dolen
Ieuanc a hen y gwanwynau cynnar.

13

A phan fo'r isel darth i'w weled
Ar wynion gerrig y grwn agored,
Drwy loyw rigol daw'r rowl a'r oged
I daenu gwely'n y ddaear galed,
Bydd yno ddiddos nodded – i'r hedyn,
Nyth rhag ei newyn a tho rhag niwed.

Pan syllwyf drachefn yng nghwrs pythefnos
Yn falch ŵr arno o fwlch yr hwyrnos,
Bydd erwau eang yn dechrau dangos
Careiau egin rhwng y caregos
Yn hir a'm ceidw i aros, – i weled
Drwy hafnau oged yr haf yn agos.

Tra bo hen dylwyth yn medi'i ffrwythau
A chnwd ei linach yn hadu'i leiniau,
Tra delo'r adar i'r coed yn barau,
Tra poro corniog, tra pery carnau,
Bydd gwanwyn y gwanwynau – yn agor
Ystôr ei drysor ar hyd yr oesau.

$$\star \qquad \star \qquad \star$$

Cerddor yn nhymor rhamant – a guddiodd
    Ym mysg eiddew'r llawrbant
   Ffiolaid o blu i'w fflyd blant
   Yn y gwern ger y gornant.

Yn nadeni dewinol – y gwanwyn
    A'i gynnwrf tragwyddol,
   Daw bachgen y gorffennol
   A hen nâd y chwilio'n ôl.

Beth yw cyflwr gŵr, a gwaith, – at flasu
    Eto flys y gobaith,
    Mwy na deddfau dechrau'r daith,
    A gwialenni'r sgŵl unwaith?

Gwylio'r llwyfan lle canai – yn fanwl,
    A'r fan lle disgynnai
    Yn yr allt, a'r man lle'r âi,
    A chwilio'r lle dychwelai.

Dringo i'w dŷ rhwng y dail, – a'i gyrru'n
    Gorwynt fry'n yr irddail,
    Ofni fy ysgol wiail,
    A honno'n siglo i'w sail.

    Cynhyrfiad procio nerfus
    Y bluen boeth â blaen bys.

    Y sydyn drwst yn y drain –
    A helynt y cwymp milain.

Yn annwyl mynnwn wylad – yn fore
    Fy iâr fach yn wastad,
    Dau liwgar ddistaw lygad
    Ei haros hir diberswâd.

A'r hwyrnos tua'r wernen – awn i weld
    Y nyth yn y golfen,
    Nes cael, wrth droed y goeden,
    Fasgal ŵy ar fwsogl hen.

Hir wariwn ddifyr oriau – i wylio'r
    Helwyr rhwng y brigau'n
    Mynd a dod, dim ond eu dau'n
    Cario cig i'r côr cegau.

Y nyth yn llenwi o hyd – a welwn
    Hyd y fyl o fywyd,
Glewaf oedd o gelfyddyd
Crynhoi y criw i un crud.

Ond ow'r alanas iasoer!
Ei chael yn wag a'i chlai'n oer.

⋆   ⋆   ⋆

Hyd loriau daear daw haul o'r diwedd
A bydd llawenydd 'run fath â'r llynedd,
Ei thonnog erwau dan wlith yn gorwedd
A'r eidionnau yn byw ar eu dannedd,
Fe ddaw Mai a gwella'i gwedd, – a chaethion
Y du-a-gwynion yn eu digonedd.

A daw olwynion o'r pell ydlannau
I hau'r cawodydd o stôr eu cydau,
Mae cladd y trysor yn eu gwyddorau
A golud y byd yn eu gwybodau,
Yr had a etyb reidiau'r tyrfaoedd,
A bloedd yr oesoedd rhag blaidd yr eisiau.

Fe daena'i hirder dros bob pryderon
A chladdu gloes dan ei chloddiau gleision,
Nid yw'r gaeafau'n ddim ond oer gofion
Yn nhaerni bythwyrdd yr hen obeithion,
Beth yw gofal y galon – mwy i mi,
A'r ŵyn yn heini a'r drain yn wynion?

Pan laso'r awyr beth yw llafurwaith,
Na chwysi tolciog na chwys y talcwaith?
Yn yr haul gwâr hwyl yw gwaith, – a minnau
Yn egni'i olau yn ugain eilwaith.

Mae rhyw hen bigiad ym mron y bugail
Pan welo'r famog yn llyo'r bogail,
A rhyw hen afiaith mewn troi anifail
I lawr y beiswellt o wely'r biswail
Pan fo deryn du'n y dail, – uwch y fro
Yn hwyr solffeio ar silff o wiail.

Mae rhyw gynhyrfiad nad oes mo'i wadu
O weld ebrilliad gold y briallu,
Neu glacwydd teirblwydd a'i fintai eurblu
Yn filain dalog ar flaen ei deulu,
Neu'r wennol gynta'n gwanu – drwy'r awel
Ar uchel annel a'r gog yn canu.

Ym môn yr egin mae hen rywogaeth,
Yn nhwf y gweryd mae hen fagwraeth,
I'r oen a'r ebol mae hen fabolaeth
Ac yn eu hesgyrn mae hen gynhysgaeth,
I minnau'n eu hwsmonaeth – mae'n y rhos
Ryw swyn yn aros sy'n hŷn na hiraeth.

★ ★ ★

Clywch y Pasg a'r clychau pêr
Yn dwyn nodau hen hyder
Hollti'r byllt o hir bellter.

Gwelwch eurlliw glych hirllaes
Merthyri Mawrth ar y maes,
Yn eilfyw o'r rhyfelfaes.

Melys gymanfa'r moliant,
Anthemau o leisiau plant
Yn eu gwyn a'u gogoniant.

Yng nghanol eu gorfoledd
A hosanna'u perseinedd
Am edfryd Bywyd o'r bedd.

Mae salm iasol i'w miwsig
Am ddeffro o gyffro gwig
Gwsg yr Had cysegredig.

★   ★   ★

Tra bo cyw i'r ddeuryw'n ailddeori
Ni bydd i ffydd gael ei diffoddi,
Bydd gŵr diorffwys yn torri cwysi
Ac yn y gleien bydd og yn gloywi,
Bydd gwanwyn a bydd geni'n dragywydd,
A'r glaw o'r mynydd yn treiglo'r meini.

RHYFEDDODAU'R WAWR

Rhyfedd fu camu'n ddirybudd i'r wawrddydd hardd
   A chyrraedd sydyn baradwys heb groesi Iorddonen;
Clywed mynyddlais y gwcw yng nghoed yr ardd,
   A gweld yr ysguthan yn llithro i'r gwlydd o'r onnen;
Rhyfedd fu gweled y draenog ar lawnt y paun
   A chael y cwningod yn deintio led cae o'u twnelau,
Y lefran ddilety'n ddibryder ar ganol y waun,
   A garan anhygoel yn amlwg yn nŵr y sianelau.
Rhyfeddach fyth, O haul sy'r tu arall i'r garn,
   Fai it aros lle'r wyt a chadw Dyn yn ei deiau,
Nes dyfod trosolion y glaswellt a'u chwalu'n sarn
   Rhag dyfod drachefn amserddoeth fwg ei simneau;
Ei wared o'i wae, a'r ddaear o'i wedd a'i sawyr,
   Cyn ail-harneisio dy feirch i siwrneiau'r awyr.

DIFIAU DYRCHAFAEL

Beth sydd ymlaen fore o Fai ar y bronnydd?
Edrychwch arnynt, ar aur y banadl a'r euron
A'r wenwisg loyw ar ysgwyddau'r ddraenen
Ac emrallt astud y gwellt a'r lloi llonydd;

Gwelwch ganhwyllbren y gastanwydden yn olau,
Y perthi'n penlinio a'r lleian fedwen fud,
Deunod y gog dros ust llathraid y ffrwd
A'r rhith tarth yn gwyro o thuser y dolau:

Dowch allan, ddynion, o'r tai cyngor cyn
Gwasgar y cwning, dowch gyda'r wenci i weled
Codi o'r ddaear afrlladen ddifrycheulyd
A'r Tad yn cusanu'r Mab yn y gwlith gwyn.

MAI 1972

Eto mae'r berllan yn caroli
Eto mae porffor y leilac fel Twtancamŵn ifanc
Eto awr wedi'r wawr mae persawr y bore
Yn esgyn o'r gwlith
Mae'r ddaear newydd ei geni'n ddihalog wyrf
Clywed ei hanadlu
Rhoi ewin dan ddeilen briallu
Gwrando cyfrinach y gwenyn
A'r fwyalchen effro ar ei nyth
Profi eto am ennyd
Baradwys.

HAF CYNNAR

Beth yw'r cymhelri gloyw rhwng y dail?
Beth yw'r llawenydd lliwgar sydd yng ngwallt yr afallen?
Mae llwybrau euraid aflonydd
Fel ceiniogau newydd ar gyffro direidus y dyfroedd.
Mae gwenoliaid fel cyllyll wedi eu taflu i'r awyr
Yn gwichian, yn syrthio ac yn llithro ar hyd y ffurfafen.
Mae'r ddraenen wen yn mygu'n wyn,
Yn gynnwrf llaethog yn y tes
Ac yn siglo ei phen yn ôl plwc yr awel.
Mae'r gwynt yn derfysg oriog yn y gwair,
Yn chwarae mig yn y gwellt
Ac mae'n peri i'r coed ysgwyd gydag arafwch urddasol y môr.

Daw nos eglur a lloer mud, araf a gwyn,
A llond awyr o sêr yn smician fel llygod o'i gwmpas,
A llonyddwch goludog y düwch diderfyn.

Am fod y byd i gyd yn wyn
Fe wyddom ni mai'r haf yw hyn.

Y LLWYNOG

Ganllath o gopa'r mynydd, pan oedd clych
    Eglwysi'r llethrau'n gwahodd tua'r llan,
Ac anhreuliedig haul Gorffennaf gwych
    Yn gwahodd tua'r mynydd – yn y fan,
Ar ddiarwybod droed a distaw duth,
    Llwybreiddiodd ei ryfeddod prin o'n blaen;
Ninnau heb ysgog a heb ynom chwyth
    Barlyswyd ennyd; megis trindod faen
Y safem, pan ar ganol diofal gam
    Syfrdan y safodd yntau, ac uwchlaw
Ei untroed oediog dwy sefydlog fflam
    Ei lygaid arnom. Yna heb frys na braw
Llithrodd ei flewyn cringoch dros y grib;
Digwyddodd, darfu, megis seren wib.

Y DRAENOG

Fe'i gwelais ef echddoe ar fy ffordd i Nanteos
  Wedi ymbelennu yn ei bigog groen,
Roedd sirioldeb yr haul arno yn syrffed
  A sgwrs yr adar uwch ei ben yn boen.

Fe guddiodd ei ben y tu mewn i'r crynder
  A hongian ei draed y tu mewn i'r drain;
Nid rhaid symud i hel pryfed a llyffaint
  Gan fod ar ei bigau bantri o chwain.

Yn y tywyllwch crwn y llam y llyffaint
  Ac y cân brogaid a phryfed fel cloch,
A'r greddfau hen yn llifo fel dyfroedd
  Dwyfol, gwryw-gydiol a choch.

Ynddo ef y mae cyltau cyntefig y Congo,
  Demioniaid rhwydd y gwylltiroedd tan,
Miwsig yr eilunod ym Malaia a Tahiti,
  Duwiau a duwiesau silindrig Iapan.

Efe ydyw'r proffwyd ar adfeilion Ewrob,
  Cynddelw ei llên a'i chelfyddydau cain;
Efe a lanwodd y gwacter lle y bu'r Drindod,
  O! belen anfarwol. O! dduwdod y drain.

CEIRW'N CYDIO

Doe gwelais cyd â gwialen – o gorn
   Ac arno naw cangen;
  Gŵr balch ac og ar ei ben,
  A gwraig foel o'r graig felen.

YN MYND I'R SIEW

Mae naw carafán wedi dod i'r dref,
Yn llawn anifeiliaid pob lliw a phob llef,
Ac mae Siôn a Siân yn mynd tua'r siew,
I weled y teiger a gweled y llew.

Mae'r camel yno a'i gefen crwm,
A'r eliffant mawr sy'n cerdded yn drwm,
Ac yntau'r siráff a'i wddf hir,
Na welwyd mo'i dalach ar fôr nac ar dir.

A'r neidr amryliw o'r fforest bell,
Yn gorwedd yn dorch ar lawr ei chell,
A mwnci direidus fry uwch ben
Yn chwarae, yn hongian wrth ddarn o bren.

Mae pob creadur o dan y nef,
Yn y naw carafán a ddaeth i'r dref,
Ond y mae Siôn a Siân yn mynd tua'r siew
I weled y teiger a gweled y llew.

TÂN YN Y DŴR

Yr oedd y pysgod
yn y dŵr
fel tân-gwyllt.

Cyn i mi blygu ymlaen
i roi tân wrth eu cynffonna'
mi roedden nhw wedi mynd
yn rocedi
orengoch,

gwibio
ymfflamychu
diflannu
yn nos y pwll.

A gadael rhywbeth ar eu holau
fel ogla'
noson gei-ffôcs
o'r bore wedyn,

yr hiraeth ód
am y peth
na fedrir
ei ddal
na'i ddofi

na'i amgyffred
â llygaid
na dwylo

dim ond ei wylio
wrth iddo fflachio ei ogoniant
a diflannu.

AR LAN Y MÔR

Ar lan y môr mae rhosys cochion,
Ar lan y môr mae lilis gwynion;
Ar lan y môr mae 'nghariad inne
Yn cysgu'r nos a chodi'r bore.

Ar lan y môr mae carreg wastad
Lle bûm yn siarad gair â'm cariad;
Oddeutu hon fy dyf y lili
Ac ambell sbrigyn o rosmari.

Ar lan y môr mae cerrig gleision,
Ar lan y môr mae blodau'r meibion,
Ar lan y môr mae pob rhinwedde,
Ar lan y môr mae 'nghariad inne.

COCOS

Ymhell o'r heli
mae cocos yn agor
mewn bwcedi plastig
a phowliau cyffredin
pan fydd y teid yn dod i mewn.

Ar fwrdd y gegin
eiliadau cyn iddynt gael eu berwi
a'u bwyta,
maent yn ymateb
i alwad y lloer
a grym y dyfroedd.

A ninnau,
wrth frysio i gael hyd i sosban
sy'n ddigon mawr,
a'n clustiau ar gau
gan hen gŵyr
yn fyddar
i alwad glir a thawel
troad y byd ar ei echel.

Pan symuda'r lloer yn y ffurfafen,
a phan ocheneidia'r gwynt uwchben y môr,
a phan dry y don ar ei hanner
ni wyddom
ni ddeallwn
ni theimlwn.

Nid ydym . . .

DIWRNOD CNEIFIO YN ENLLI

Fel roedd y cwch yn dod i'r lan,
Mi glywn i frefu ym mhob man.

Mi es i at y ffarm, a sleifio
Heibio'r giât i'w gweld nhw'n cneifio.

Ac i'r mynydd â mi wedyn
I freuddwydio yn y rhedyn.

Ond dyma ryw hen niwl yn codi
Fel tae dŵr y Cafn yn berwi,

A dyna chwalu, ar fy ngwir,
Y terfyn sydd rhwng môr a thir.

A dacw loeau yn y bae,
A'r cwch fel cimwch yn y cae.

A'r hen gorn llongau yn canu o hyd
Yr un fath â'r ceiliog mwya'n y byd.

A dôi'r gwenoliaid fesul tair
Mor llambedyddiol dros y gwair.

GARETH ALBAN DAVIES

Y DDAWNS

Gwelais ddwy 'sgyfarnog yn yr ŷd
yn cwffio ac ymlid:
pedair hirglust yn cyniwair,
dau gorff gosgeiddig yn cydio
a neilltuo, cyffwrdd
a bwhwman,
fel dwy dywysen lawn o ŷd
yn ysgwyd yn nawns y gwynt.
Roedd y traed cnotiog, y bonion praff,
a'u gwreiddiau'n balf yn y tir.

Hon oedd y ddawns gyntefig,
y cydio rhwng grawn a gro,
y cwlwm rhwng gwŷs a gwaed.

Heibio a throsodd
golchai'r tonnau ŷd
nes sefyll yn ewyn disglair
ar y ffroenau tal,
a rhywle, rhywle,
offrymu'r had
i hap a llawnder y bru.
Hon oedd y ddawns gyntefig.

Trwy'r sêr llygadrwth, hen
gwelaf y ddwy 'sgyfarnog
ar lawr doe ac echdoe
yn tuthio a hercian
dan loer lawn Medi
a maith orffwylledd Mawrth –
mae eu hymlid yn heddiw a thragywydd
yng ngwâl, gwely, a gwely gordd,
ac yng nghilfachau'r haidd.

A chludant,
rhwng pob pawen felfed,
noddant,
rhwng pob saethdrem wyllt,
fod:
dim ond bod;
ysgafn, heini, dwl,
ansylweddol fel cân adar,
bwrlwm pistyll,
neu'r ddawns gyntefig ar y ddôl.

Y CI DEFAID

Rhwydd gamwr hawdd ei gymell – i'r mynydd
   A'r mannau anghysbell;
  Hel a didol diadell
  Yw camp hwn yn y cwm pell.

FY NGWEDD GEFFYLAU OLAF

Dau 'Glydesdale' gwarrog oeddynt, hoyw ac abl
   A chlwstwr ceiniogau'r ceirch yn llathru'u graen;
Ni ddaeth erioed eu noblach trwy ddrws stabl,
   Ac ni bu gwaith a safai ddim o'u blaen.
Hyfryted gwefr y cryndod pan fai'r pâr
   Yn esmwyth orwedd ar y tresi tyn,
A gorfoleddus ddilyn drwy yr âr
   Yn groes i lydain rynnau'r perci hyn.

Naw wfft i gêr ddigwmni'r tractor gwych
   A'u gwthiodd hwynt i lawntre Pant-y-ci,
I dorden yno ymhell o rwn a rhych
   A bwrw'u penolau i'r gwynt o'm gweled i;
Nes dod o'r nacer ffals, ddihitio'i gnoc
   Ar dor fy llaw – a'u cael am bris dau groc.

*

JOHN RODERICK REES

BRENIN GWALIA

(Cân i Farch Cob Cymreig)

Dy gôt llaeth-a-chwrw'n felfed-goronog,
Cryman y war yn fwya melltennog
Ac asgwrn fel astell o dan y ben-lin.

Sidan y siwrlen uwch egwyd gosgeiddig,
Coeth gymesuredd penllinyn bonheddig,
Deupen talïaidd yn llumanau byw.

Y cloriau cytbwys a goledd y balfais,
Cylch yr asennau'n barelu'n llednais
A dengys deithi dy linach di.

Camu'n ysgafndroed i'r cylch fel telyneg
A mynd-at-y-dor ar urddasol redeg
A'r carnau cedyrn ar osgo-dal-dŵr.

Tân dy gyndadau yn sbardun rhythmig
Yn d'osod di yn anghyffwrdd unig
Sioe ar ôl sioe i ledio'r rhes.

Bu datsain dy garnau ar gerrig Llundain
Yn sioe ryngwladol y merlod mirain
A choeth y cynhaliaist-ti urddas dy ach.

Pedwarugeinmil yn curo'r brwdfrydedd
A'th bob ysgogiad yn llathru o fonedd,
Frenin hil werin y bryniau pell.

DIWRNOD LLADD MOCHYN

Âi dau neu dri dyn
tua deg o'r gloch i raffu'r mochyn;
câi ei yrru a'i dynnu o'i dwlc
i oleuni gloyw Ionawr
ac yntau'n strancio'n dew yn y rhewynt,
ac yn nadu o ddychryn ei gnawd.

Tynheid y rhaff, tynnid yr ên
i fyny i'r cigydd suddo
ei gyllell i golli
ym mhlygion y bloneg.
Byrstiai sgrech goch o boen
o waelod ei wddf;
gwaedai dros y lle i gyd,
gwaedai'i gorff fel na bai am orffen
ond dôi i ben gyda hyn
ac yntau'n gwegian . . . gwegian i'r gwellt.

Yna, fe wyliwn y dynion
yn tywallt dŵr twym
ar ei gefn a'i dor i gyd,
ac yn crafu a sgathru'r gwrych
yn y gwynt, yr ager a'r gwaed.
Roent yn ei foeli ei drosi a'i droi
drwy'r prynhawn. Fe gawn innau gip
weithiau ar rwyg ei wddf
yn agor yn wlyb o gig
i fraster ei frest
a chlywed ei gnawd coch yn rhochian
yn ei dagell dan y sgrafelli.

Rwy'n cofio'r gwartheg hefyd
yn dod i'w godro'r noson honno.
Roedd 'na ryw anesmwythder rhyfedd
yn meddiannu'u cyrff hamddenol
yr eiliadau y doent drwy lidiart y clos.
Roent yn ffroeni'r llwyni a'r llaid,
yn amau'r dŵr a'r domen
ac yn llygadu ar hyd y buarth.

Roedd 'na ryw ofn
arnaf innau'r noson honno
wrth basio heibio'r sied
oedd ar bwys y stabl.
Ofn plentyn . . . a'r mochyn mawr
yn hongian yno'n syfrdan, a sŵn
diferion yn plwmpian o'i ben
i'r gasgen yn y gwyll.
Ond gwyddwn yr oedran hwnnw
am y rhaid o ladd y creadur
i'n cadw mewn cig a bloneg.
Roedd y gaea' o'n blaenau.

DIOFAL YW'R ADERYN

Diofal yw'r aderyn,
Ni hau, ni fed un gronyn;
   Heb ddim gofal yn y byd,
Ond canu hyd y flwyddyn;

Fe eistedd ar y gangen,
Gan edrych ar ci aden;
   Heb un geiniog yn ei god,
Yn llywio a bod yn llawen.

Fe fwyty'i swper heno,
Ni ŵyr ym mh'le mae'i ginio.
   Dyna'r modd y mae yn byw –
A gado i Dduw arlwyo.

BE GEFAIST TI'N FWYD?

Hoi ho! Be gefaist ti'n fwyd,
Hen Grëyr Glas a'i heglau hir?
  Wel, llyffant a slywen
  A chwilen a malwen,
A brithyll go fawr, do wir!

Hoi ho! Be gefaist ti'n fwyd,
Jac y Nico bychan bach?
  Ond hadau o'r meysydd
  A'r cloddiau a'r ffosydd,
A'u bwyta nhw i gyd, lond sach.

Hoi ho! Be gefaist ti'n fwyd,
Robin goch, be gefaist ti?
  Wel, brechdan a phwdin
  A briwsion o'r gegin,
A hynny am ganu i chwi.

TYLLUANOD

Pan fyddai'r nos yn olau,
  A llwch y ffordd yn wyn,
A'r bont yn wag sy'n croesi'r dŵr
  Difwstwr ym Mhen Llyn,
Y tylluanod yn eu tro
Glywid o Lwyncoed Cwm y Glo.

Pan siglai'r hwyaid gwylltion
  Wrth angor dan y lloer,
A Llyn y Ffridd ar Ffridd y Llyn
  Trostynt yn chwipio'n oer,
Lleisio'n ddidostur wnaent i ru
Y gwynt o Goed y Mynydd Du.

Pan lithrai gloywddwr Glaslyn
  I'r gwyll, fel cledd i'r wain,
Pan gochai pell ffenestri'r plas
  Rhwng briglas lwyni'r brain,
Pan gaeai syrthni safnau'r cŵn,
Nosai Ynysfor yn eu sŵn.

A phan dywylla'r cread
  Wedi'i wallgofddydd maith,
A dyfod gosteg ddiystŵr
  Pob gweithiwr a phob gwaith,
Ni bydd eu Lladin, ar fy llw,
Na llon na lleddf – Tw-whit, Tw-hw!

CORNICYLLOD

(Dywedir eu bod yn prinhau'n rhyfeddol)

Collais y cornicyllod – ac ofnais
    Eu cefnu'n anorfod.
    Ond uwchlaw wele gawod
    Yn rhyw ddweud fod eira i ddod.

Yn troelli uwch y tir llwm – a chodi
    Ar ychydig reswm.
    Awyrlu'r tymor hirlwm,
    Criwiau'r cyrch uwch caeau'r cwm.

Callwib! Mae'n fwy fel colled – eu 'pi-wit'
    Pitw wrth ddynwared
    Ei gilydd, ond da gweled
    Y cysgod uchod a hed.

Gwibiant, a'r rhai sy'n gwybod – yn honni
    Gall hyn o ryfeddod
    Ar fyr dro beidio â bod –
    Callach yw'r cornicyllod.

HEN BENNILL

Fel roeddwn yn llawen yn rhodio Glan Alwen,
   Mi welwn hwyaden ar donnen y dŵr,
Weithiau hi nofiai ar wyneb y tonnau,
   Waith arall hi 'mgladdai mewn gloyw-ddŵr.

ANHYSBYS

HEN BENILLION

Gwyn fy myd na fedrwn hedeg
Bryn a phant a goriwaered;
Mynnwn wybod er eu gwaethaf
P'le mae'r gog yn cysgu'r gaeaf.

Yn y coed y mae hi'n cysgu,
Yn yr eithin mae hi'n nythu;
Yn y llwyn tan ddail y bedw,
Dyna'r fan y bydd hi farw.

GWANWYN

'Mi wellaf pan ddaw'r gwanwyn:
   Bu'r gaeaf 'ma'n un mor hir.
A oes 'na argoel eto
   Fod gwennol yn y tir?
Mae hi'n anodd mendio dim fel hyn
A phen yr Wyddfa i gyd yn wyn.

'Mi ddo' i at y gwanwyn
   A chodi cyn daw'r gog.
Mi ddo' i pan gynhesith
   Yr awel ar y glog.
Mae hi'n anodd mendio dim fel hyn
A phen yr Wyddfa i gyd yn wyn.

'Mi godaf at y gwanwyn:
   A welaist ti oen ar fryn?
On' fydd hi'n braf cael stelcian
   Am dipyn wrth y llyn?
Mae hi'n anodd mendio dim fel hyn
A phen yr Wyddfa i gyd yn wyn.'

★

Ni ddaeth rhyfeddod gwanwyn
   Â'r gwrid yn ôl i'w wedd:
Ond pnawn o Ebrill tyner
   A'n dug ni at ei fedd.
A chanai'r gog yng Nghoed y Ffridd
Pan glywn i'r arch yn crafu'r pridd.

Y BIODEN

'Beth yw lliwie'r aderyn?
Nawr, dwed y gwir.'
   'Du a gwyn.'
'Pa liw ydyw'r plu wedyn?'
   'Dwi wedi gweud: du a gwyn.'

'Bob pluen o'i adenydd?'
   'Ym . . . glas.'
'Fel yr awel rydd?
Fel rhyw lechen ysblennydd?
Glas pob dôl?'
   'Na, glas pob-dydd.'

'Pa liw ei gynffon ddiwyd?'
   'Piws a gwyrdd.'
Fel pwysi i gyd
o flodeuach liw machlud?'
   'Na, gwyrdd a phiws, dyna i gyd.'

'Cyn graffed â llygedyn,
rhaid gweld hebio i'r du a gwyn.
Beth yw lliwie'r aderyn?
Nawr, dwed y gwir.'
   'Du a gwyn.'

MARWNAD YR EHEDYDD

(Mae'r pennill cyntaf yn draddodiadol)

Mi a glywais fod yr 'hedydd
Wedi marw ar y mynydd.
Pe gwyddwn i mai gwir y geiria',
Awn â gyr o ŵyr ag arfa'
I gyrchu corff yr 'hedydd adra'.

Mi a glywais fod yr hebog
Eto'n fynych uwch y fawnog,
A bod ei galon a'i adenydd
Wrth fynd heibio i gorff yr 'hedydd
Yn curo'n llwfr fel calon llofrudd.

Mi a glywais fod cornchwiglan
Yn ei ddychryn i ffwrdd o'r siglan
Ac na chaiff, er dianc rhagddi,
Wedi rhusio o dan y drysi,
Ond aderyn y bwn i'w boeni.

Mi a glywais gan y wennol
Fod y tylwyth teg yn 'morol
Am arch i'r hedydd bach o risial,
Ac am amdo o'r pren afal;
Ond piti fâi dwyn pob petal.

Canys er mynd â byddin arfog
Ac er codi braw ar yr hebog,
Ac er grisial ac er bloda',
Er yr holl dylwyth teg a'u donia',
Ni ddaw cân yr hedydd adra'.

Y DRUDWY

Pan ddelo'r gaeaf yn ei dro
a'i wyngalch braf i liwio'r fro,
bydd gennyf innau friwsion glân
yn wleddoedd bras i'r adar mân.

Rwy'n caru sŵn y ffrindiau plu,
y dryw bach ciwt, a'r deryn du,
y fronfraith bert, y robin goch,
a'u lleisiau'n gryg gan fegian croch.

Arlwyaf yn y tywydd cas
frecwast i'r titw tomos las;
daw coch y berllan ambell waith
i rannu pryd 'da'r asgell fraith.

Ond mae 'no un trachwantus iawn
sydd yno'r bore a'r prynhawn;
hen dderyn haerllug, cras ei gri,
sy'n llarpio bara dau neu dri.

Ac eto nid wyf innau'n ddig
wrth weld y crystyn yn ei big;
rwy'n cofio iddo gael y fraint
o gludo llythyr i Gaer Saint.

Y DRUDWY

Chwim ei droellwib, ffraewr diball – a'i fâr
  Am fwyd yr anniwall;
  Mae'i hunan heb gân, ond gall
  Ddynwared cerdd un arall.

ERITHACUS RUBECULA

Enw anghyfiaith ac anghynefin
ar greadur dinod o gyffredin;
enw a ddysgir o lyfrau coleg
y sawl sy'n astudio ornitholeg.

Erithacus rubecula sy'n bwyta'r briwsion,
yr un hy sy'n begera wrth fy nrws yn gyson;
yr un sy'n mentro i lawr y gegin
wrth chwilio tamaid a hela pryfedyn.

A chan ei fod, ar ryw olwg, yn un o'r teulu,
ac yn treulio'i ddyddiau ma's ar y beili,
mae'n anodd ei alw wrth ei enw Lladin;
haws o lawer yw ei alw – wel, jest Robin.

Paham mae'n rhaid cael cegaid clasurol
i sôn am bethau ein byw beunyddiol?
Cymhlethu'r syml a throi deryn yn ddisgynnydd *Archaeopteryx*;
dyna duedd gwyddonwyr (a beirdd ysywaetheryx).

GWENOLIAID

Eisteddant yn rhes
   Ar wifren y telegraff;
Mae rhywbeth yn galw –
   Crynant, edrychant yn graff.

Dechreuant drydar –
   Mae rhywbeth yn galw draw,
Hir yw'r chwedleua,
   A phob un a'i gyngor wrth law.

Yna cyfodant
   Bob un ar ei adain ddu,
Trônt yn yr awyr
   Uwch ben ac o gwmpas y tŷ.

Ânt yn llai ac yn llai,
   Toddant yng nglesni'r ne;
Yfory, gorffwysant
   Yn dawel yn heulwen y De!

CRËYR YN Y CAE

Nid yw hyd yn oed
ar lan y dŵr:
mae'r cae'n farrug,
yn galed fel trigolion
broydd y graig a'r llechfaen,

ond saif yno
fel soldiwr a adawyd
yn fyw, a'i gwmni'n gelain

i baratoi bwyd amrwd i'r brain:
o bell, gwêl ei gynefin,
y graean, a llif araf y dŵr,
yn dal i redeg, i dreiglo,
i greu sŵn fel dail yn disgyn

un unig fu erioed,
yn syllu'n hir i'r lli swnllyd
wedi'r storom,
neu'n diogi ar garreg
a'i brae'n crynu
o dan ddrych y dŵr,

eto, yn y cae hwn,
ymhell o'r afon,
fe wêl eisiau
y llu annwyl a'u lleisiau.

Y FWYALCHEN

Ba artist â chân bertach? – hwyr denor
Du ei ên fel mynach;
Dyma gerddor rhagorach
Na Johann Sebastian Bach.

YR EOS

Pan fo tawel awel hafnos,
Af i glywed cân yr eos;
Gwn am goed gerllaw Llanarmon
Lle daw hon i ganu'n gyson.

Mwynaf, meddir, yw ei chanu
Pan fo pigyn yn ei brathu;
Pwy a ŵyr ai gwir y geiriau?
Pwy a welodd flaen y pigau?

Ond mi wn, pan fyddo pigyn
Yn fy mron, mai mwyn ei nodyn;
A pho ddyfnaf fyddo'r pigau
Mwynaf yw ei chân i minnau.

Felly, pan fo glaf fy nghalon,
Af i'r coed gerllaw Llanarmon,
A thrwy awel denau'r hafnos
Daw im falm o gân yr eos.

GLAS Y DORLAN

Troais i mewn i'r neuadd
   Lle cedwir creiriau lu,
Gwelw doredig dystion
   O'r gwychder gynt a fu;
Cawgiau, ffiolau lluniaidd
   A harddodd fyrddau llon
Arglwyddi beilch Assyria,
   Yr Aifft a Babilon.

Sylwais ar faen a mynor,
   Ac arfau'n rhes ar res,
Llestri o aur ac arian,
   Celfi o goed a phres.
Ac yna, yn ddisymwth,
   O gwr ystafell hir
Ffalchiodd dy holl ogoniant
   Arnaf drwy'r gwydr clir.

I'm clyw daeth murmur dyfroedd
   Dros gerrig llyfnion gwyn,
A gwelwn foncyff deiliog
   Yn plygu dros y llyn;
A bachgen bochgoch, troednoeth,
   Yn sefyll ger y lli,
Gan syllu a rhyfeddu
   At wyrth dy degwch di.

Anghofiais holl ysblander
    Ymerodraethau dyn,
Yn ymyl godidowgrwydd
    Campwaith dy liw a'th lun;
A syllais mewn rhyfeddod
    Fel cynt ar fin y lli –
A'r neuadd yn troi'r demel
    I'r Un a'th luniodd di.

GLAS Y DORLAN

Un nawn o haf wrth Gafn Hyrdd
Oedwn yn y gwawl hudwyrdd;
A'r dŵr, dan fy mhry' di-hid,
Yn ddiog ddiaddewid.

Drwy'r hen goeden gysgedig
Nerf o wynt chwaraea fig,
A thawel lwyth o ewyn
Eildro'n llywio o gylch y llyn.

Ond yna, holltwyd ennyd
Ar y banc, gan ddeffro'r byd;
Treiddiodd dart trwy hedd y dŵr,
Saethodd, hyrddiodd i'r merddwr
Blymiwr â'i blu o emau,
Edn glas ar adain glau·
A'i ehediad mor sydyn
Nes i'r lliw enfysu'r llyn;
Disgyn ar sydyn grwsâd
Yna'n ôl yr un eiliad,
A'i ysgytwol bysgota'n
Rhuthr o liw, yn wyrth o'r lan.

Eiliadau hudol wedyn,
A'r dydd mor llonydd â'r llyn,
Nid oedd yn y distawddwr
Un dim, yn cynhyrfu'r dŵr;
Dim ond tawel ddychwelyd
Rhimyn o ewyn o hyd.

Er mai profiad eiliad oedd
Ni symudais am hydoedd.

Y CEILIOG

Cân y ceiliog
Estyn ei gorn gwddf
A rhwygo diasbad
Drwy'r bore bach.

Canu ac yna disgyn
A thorsythu
Gerbron yr ieir ffwndrus, newydd-ddeffro.

Ninnau,
Ym meddalwch y gwely,
Ar dynerwch y gobennydd,
Troellwn eilwaith i lawr
I bydew cwsg.

Toc,
Fe gân y ceiliog eto,
A'n deffro'n biwis –
Nyni, y gwadwyr.

Y GWYDDAU

Rhagfyr drwy frigau'r coed
Wnâi'r trwst truana' erioed
Fel tonnau'n torri.

Isod 'roedd cornel cae,
Ac yno, heb dybio gwae,
Y gwyddau'n pori.

Amlhâi y dail fel plu
Gwaedliw, cymysgliw, du,
Hyd las y ddôl.

Ac yn sŵn a golwg angau
Dehonglais chwedl a cangau
I'r adar ffôl.

'Gan hynny nac arhowch,
Ond ar esgyll llydain ffowch
Cyn dyfod awr
Pan êl y wreigdda â'i nwyddau,
Ymenyn, caws, a gwyddau
I'r Farchnad Fawr!'

Eithr ffei o'r fath gelwyddau!
Gwawdlyd orymdaith gwyddau
Ffurfiwyd mewn trefn.

Ac yna hyrddiau amal
Eu hunfryd grechwen gwamal
Drachefn a thrachefn.

YR HEBOG UWCH FELINDRE

Yn cylchu ac yn cylchu uwchlaw'r coed
yr hebog yn troelli yn nhrobwll
anweledig ei ehediad yng ngloywder
yr heulwen denau
ar fore o aeaf oer:

defod gyntefig,
rhithmau symudiadau dawns
yr hebog, gylch ac ogylch,
ar linynnau ei orwelion ei hunan:
y dydd yn stond, a'i ddawns o dân
yn un â dawns y planedau oll,
yn un â dawns y bydysawd.

Mae pob calon lofr dan ei hofran
llydan, o dan ei droelliadau,
yn arswydo ac yn pwnio drwy sidan
y fynwes denau. O fewn estyniad
ei adenydd y mae'r byd yn ymdonni:
anifeiliaid, creaduriaid a dyn
yn ei lygaid yn chwyrlïo ogylch,
yn y dirfawr wag sydd yn agen
y llygaid a phob enaid byw
wedi'i ddal gan symudiad y ddawns.

Uchod y mae'n troi ar ei echel,
a'i ehediad o gylch ei gyhydedd
ei hunan: ef yw'r crychiad yng nghanol
y llyn sy'n lledaenu'n donnau
o gwmpas
ergydlach carreg adlam.

Y mae'r cylch yn ehangu, yn ehangu wrth iddo
hongian
gerfydd adenydd o dân,
ac wrth droelli y mae'n torri twll
enfawr yn y cyfanfyd,
agor twll trwy gread Duw,
a thrwy'r agoriad fe syrth ein gwareiddiad yn grwn,
cwympo drwyddo i'w dranc.

Y CUDYLL COCH

Daeth cysgod sydyn dros y waun,
  A chri a chyffro lle'r oedd cerdd
A chwiban gwyllt aderyn du
  A thrydar ofnus llinos werdd,
Ac uwch fy mhen ddwy adain hir
  Yn hongian yn yr awyr glir.

Fe safai'r perthi ar ddi-hun,
  A chlywid sŵn ffwdanus lu
Yn ffoi am noddfa tua'r llwyn
  Mewn arswyd rhag y gwyliwr du;
Ac yntau fry yn deor gwae,
  A chysgod angau dros y cae.

A minnau yno'n syllu'n syn,
  Ar amrant – yr adenydd hir
Dry dan fy nhrem yn flaenllym saeth,
  A honno'n disgyn ar y tir;
Ac yna un, a'i wich yn groch,
  Yng nghrafanc ddur y cudyll coch.

Y CEILIOG FFESANT

Oherwydd fod d'amryliw blu
   Fel hydref ar dy fynwes lefn,
A phob goludog liw a fu
   Yn mynd a dyfod hyd dy gefn,
Cadwed y gyfraith di rhag cam;
   Ni fynnwn innau iti nam.

Oherwydd clochdar balch dy big,
   A'th drem drahaus ar dir y lord,
Mi fynnwn heno gael dy gig
   Yn rhost amheuthun ar fy mord;
A byw yn fras am hynny o dro
   Ar un a besgodd braster bro.

DEG O ELYRCH GWYNION

Deg o elyrch gwynion
   Yn hwylio ger eu nyth
Yn ymyl ffatri fudur;
   Bu farw dau yn syth.

Wyth o elyrch gwynion
   Yn stelcian draw yn Stoke;
Bu farw dau rôl llyncu
   Gwydr hen botel Coke.

Chwech o elyrch gwynion
   Ddaeth draw i Fferm y Cwm
Ond dau fu farw'n sydyn
   'Rôl bwyta pelets plwm.

Pedwar alarch perffaith
   Mor wyn ag eira'r ddôl
Yn croesi traffordd docsig
   A nawr – mae dau ar ôl.

Dau o elyrch gwynion
   A oedd yn 'Adar Prin'
Yn bwyta gwenwyn llygod
   A'r ddau a drodd yn ddim.

Dim un! A phwy sy'n malio
   Am swp o fflyff bach gwyn?
Pa blincin ots os nad oes
   'Na elyrch ar y llyn?

GWYN Y GWÊL Y FRÂN EI CHYW

Meddai brân oedd yn byw'n San Marino,
'Dim ond un cwestiwn bach sy'n fy mlino:
   Os ydw i'n ddu, a'r tad,
   Hoffwn gael eglurhad
Sut ddiawl y mae'r mab 'cw'n albino?'

BRAIN

Brain yn hedeg i'w hencil yng nghôr y coed,
yn troi uwchlaw rhuthr y ffordd oddi arni,
hen bethau byth-a-hefyd-gyda-ni
'run fath â phechodau gwyrdd, melynllwyd,
cenedlaethau'r dail a braeneddau'r deri,
gweinidogion dan glochdy cryg y plwy,
yn eu du er allorau briw'r derwyddon,
ac wrthi'n awr rhwng muriau gwenwisg y nef
yn llafarganu salmau myfyrdodau'r dydd –
wedi bod yn hir fugeilio halen y ddaear
yng ngoleuni'r byd ar lechwedd a chae,
yn gwrando ar had y trysor
ac yn pigo at galon
y doethineb cudd rhwng y creigiau a'r cerrig –
ac yn dychwelyd oddi wrth aroglau'r ceunentydd
i gangell ac allor fin nos
heibio i'r trai a'r llanw a'r lludw a'r llwch
â hadau mwstard y perl yn eu pig –
goruchwylwyr y dirgeledigaethau gwyn
dan glychau'r bryn yng ngogoniant canghennog y pren.

NYTH

Ni fu saer na'i fesuriad – yn rhoi graen
   Ar ei grefft a'i drwsiad
  Dim ond adar mewn cariad
  Yn gwneud tŷ heb ganiatâd.

BYD YR ADERYN BACH

Pa eisiau dim hapusach
Na byd yr aderyn bach?
Byd o hedfan a chanu
A hwylio toc i gael tŷ.
Gosod y tŷ ar gesail
Heb do ond wyneb y dail.
Wyau'n dlws yn y mwswm,
Wyau dryw yn llond y rhwm.
Torri'r plisg, daw twrw'r plant
'Does obaith y daw seibiant.
Cegau'n rhwth, a'r cig yn rhad.
'Oes mwydon?' yw llais mudiad.
'Sdim cyw cu ar du daear
Tra bo saig un tro heb siâr.
Pawb wrth eu bodd mewn pabell
Is y gwŷdd, oes eisiau gwell?
A hefyd, wedi tyfu,
Hwyl y plant o gael eu plu'.
Codi, yntê, y bore bach
Am y cyntaf, dim cintach.
Golchi bryst, 'does dim clustiau,
Côt, heb fotymau i'w cau,
Na dwy esgid i wasgu.
Ysgol? Oes, a dysg i lu.
Dasg hudfawr, dysgu hedfan
A mab a merch ymhob man.
Dysgu cân, nid piano,
Dim iws dweud do mi so do.
I'r gwely wedi'r golau,
Gwasgu'n glòs i gysgu'n glau.
Pa eisiau dim hapusach
Na byd yr aderyn bach?

YR ADAR BACH

Y mae'r adar bach yn canu
yn yr oriau tirion hynny
pan fo'r tai yn trio cysgu'n
gynnes dan gynfasau'r gwely:

y mae'r adar bach yn trydar
ar wifrennau'r bore cynnar,
yn chwarae'u mabolgampau llafar
yn rhywle rhwng y nef a'r ddaear:

y mae'r adar bach yn tewi
pan fo'r haul mawr cas yn codi,
a chrino'r dail ar goed y gelli
a rhewi'r llyn cyn agor llenni:

a chan na chlyw eu cân anwadal,
gan gythru'n ddall trwy frigau'r goedwal,
a min cynddaredd ar ei rasal,
mae'r byd ar adar bach yn dial.

ALARCH Y LLEUAD

Alarch y lleuad
ar yr afon,
yn hwylio'n dawel
ac yn bwrw plu ei oleuni
yn grwn
ar grychau'r dŵr.

Lledu ei adenydd anferth wedyn
ac ymlafnio
yn wyn o egni.

Codi
cyhyrau cymylau,
adenydd yn clecian.

Sŵn lleuad
yr alarch
yn y nos

yn wyn
uwch eira'r tir.

SŴN

Liw nos ni chlywir, medde' nhw,
Ond hwtian oer y gwdi-hŵ,
Mae pawb a phopeth yn y cwm
Yn ddistaw bach, yn cysgu'n drwm.

Ond celwydd noeth yw hynny i gyd,
Mae'r nos yn llawn o sŵn o hyd.
Mi glywais i un noson oer
Sŵn cŵn yn udo ar y lloer.

Mi glywais wedyn, ar fy ngair,
Sŵn llygod bach yn llofft y gwair,
Rhyw sŵn fel sŵn y gwynt trwy'r dail –
Rhyw gyffro bach, a sibrwd bob yn ail.

A chlywais wedyn, ar ôl hyn
Grawcian brogaod yn y llyn;
A chlywais unwaith, ar fy ngwir,
Gyfarth y llwynog o'r Graig Hir.

Pan ddring y lloer a'r sêr i'r nen
A gwaith y dydd i gyd ar ben,
Pan gilia pawb i'r tŷ o'r clos,
Cawn gyfle i wrando ar leisiau'r nos.

COED

y mae coed fel angylion

yr oedd criw o gwmpas fy nghartref
ac ynddynt adar yn nythu'n ddu
a'u siarad yn suro'r nos
     er na wrandewais

yr oedd coed o gwmpas fy nghartref
a'u brigau'n ddewr heb ddail
a'r awyr yn goch o ddicter a gwaed angau
     er nad edrychais

mae coed yn amddiffyn cartref,
yn ymgasglu'n dorf warcheidiol gefn nos
ac yn gwadu hawl y gwynt

ac yn fy ngwely
     er na sylwais
yr oeddwn innau'n gwybod hynny.

ENWAU

Pryd mae'r gwcw'n gwisgo'i sgidie-a-sane?
Pryd mae'r brain yn gwisgo'u bacse glas?
  A sut mae'r blodyn neidir
   Fyny fry ar glawdd y feidir
Yn perthyn i sut hen greadur cas?

Sut mae Mair â chymaint o friallu?
Ydy'r cŵn yn clatsho'u bysedd i wneud stŵr?
  Ydy'r moch yn bwyta'u crafol?
   A oes rhywun â'r dail tafol
Yn pwyso pethau weithiau i'r hen ŵr?

Dywedwch ydy'r nyddwr weithiau'n nyddu?
Ac wedi iddo nyddu, pwy sy'n gweu?
  'Welais i mo teiliwr Llunden
   Yn gwneud siwt erioed i undyn,
Ond cofiwch, falle'i fod e' ar y slei.

Pam na fentra'r gwyddau bach i'r afon?
Rhag ofn hen was y neidir, falle'n wir.
  Fe ddylai'r brenin brale
   Dalu milwyr am ei ddal e' –
Mae digon o ddail ceiniog yn ei dir.

Pryd mae Jac y rhaca'n cael ei wair mewn?
'Thâl hi ddim i'w adael nes bo'n llwyd.
  Anodd lladd â'r ddalen gryman
   Ond bydd gwas y gwcw yma'n
Helpu cywain, a daw'r llyffant mâs â'r bwyd.

BLODAU'R GRUG

Tlws eu tw' liaws tawel, – gemau teg
    Gwmwd haul ac awel,
    Crog glychau'r creigle uchel,
    Flur y main, ffiolau'r mêl.

J. T. JONES

GWYDDFID

Beth yw'r hudol ffiolau – ar uchaf
  Y gwrychoedd a'r cloddiau?
Tw' prid y gwyddfid sy'n gwau
Nef - aroglus firaglau!

CÂN

Pnawn o Awst a llyn mewn mynydd
tithau a minnau a'r plant
yn yr hesg heb sgidiau;
o'n cwmpas – y tes yn plygu'r bryn a'r brwyn
a dawns aflonydd-lonydd gwas y neidr.

Llyn fy mhlentyndod
a llyn di-waelod 'nôl cred y fro
ei ddiwaelodrwydd du yn her
a'r sipian yn yr hesg
yn ias,
ers talwm.

Heddiw i'n plant o swbwrbia'r ddinas
dim ond llyn crwn, gwyn
heb ddyfnder na hunllef na gwefr
ond gwefr un gwas y neidr
a gwybed yn cracio'r gwydr.

Mynd yn ôl i'r car
ac o lwybr y mynydd i'r briffordd chwim
ond am yr ychydig eiliadau hynny
nid oedd arnom eisiau dim.

BRAWDDEGAU WRTH GOFIO HIRAETHOG

noswyl haf oedd hi
yr oeddent i gyd yno
o yr wyf yn eu cofio meddaf wrthych

hen bobol nad ydynt yr awr ddeifiol hon
ond gwefusau carpiog yn y gwynt
a'r lleill
y calonnau aeddfetgoch
a'u chwerthin yn deilchion yn y brwyn
a'r gwallt ar chwâl

ble mae'r lleisiau llaeth a fu'n llifo
trwy'r briws a'r bwtri a'r beudy

a'r chwerthin yn deilchion yn y brwyn

ble mae'r llygaid crynion
a ddiflannai mewn cwmwl o chwerthin

gweddïais am gael bod yn un o'r merlod
ar fynydd yr oerfa am byth
byddai'n andros o oer yn y gaea wrth gwrs
meddai jo gan chwerthin
rhyfedd bod ei lais y munud hwnnw fel cloch

noswyl haf oedd hi
yr oeddent i gyd yno
ymdroellai'r gwynt yn ddiog drwy'r ŷd

o yr wyf yn eu cofio meddaf wrthych

GWYN FYD Y GRIAFOLEN

Llwybr fel rhwyg trwy'r rhedyn
sy'n cychwyn am ben y bryn:
deuwn at greigle wedyn.

Gwyn fyd y griafolen
a dyf wrth fôn y graig wen:
hi yw goleuni'r gefnen.

Uwch galar y ddaear ddig
hi fyn fyw yno'n unig
ei bywyd deoledig.

Ac yn eu pryd daw'r aeron
disgleirgoch ar gangau hon;
'run lliw â gwaed y galon.

CYNHAEAF

Coed Mihangel yn felyn,
A'i niwl glas yng nghil y glyn,
A'r dyrnwr draw'n ara drên,
O hir ruo'i orawen,
I wyll hwyr yn ymbellhau
Ar drafael yr hydrefau,
A reilwe us ar y lôn
Yn blaen lle bu'i olwynion.

Huodledd lond yr ydlan,
Sôn mawr am hanesion mân,
A phawb o'r fflasged wedyn
Yn taro'i glwt ar ei glun.

Mae lluwch o ŷd dan glyd glo
Yn tyner siffrwd heno,
Lle doe'r oedd lloriau ceuwag,
Eisin a gwawn a sŵn gwag.
Cnwd trwm cynhaea tramawr
Yn afrad lif ar hyd lawr,
Gloywder byw ar gledrau barn,
Aur ei liw ar law haearn.

Ni chofir certh ryferthwy
Storom Awst a'i llanastr mwy –
Y cnwd fel talcen eidion,
Ac arlwy'r brig ar lawr bron,
A'i anniben ysgubau
Yn llwyd a brwysg eu gwellt brau.

Aeth o go'r trafferth i gyd
Yn hen wefr a sŵn hyfryd
Ei gras odidog rwsial,
A thyrrau mwyth ei aur mâl.

Gyrred gaeafol gorwynt
Hyd lwyd wlad ei law a'i wynt,
Ni'm dawr i mwy ei drwm ia,
Na'i strem oer na'i storm eira,
Nid â'n brin nac eidion braf
Nac anner tra bo gwanaf,
Na buwch byth tra bo uwchben
Gynhaeaf fel y gneuen.

★   ★   ★

Pan ddelo'r adar i gynnar ganu
Eu halaw dirion i'm hailhyderu,
A phan ddaw'r amser i'r hin dyneru,
I braidd eni ŵyn, i briddyn wynnu,
Af innau i gyfannu – cylch y rhod,
Yn ôl i osod a'r ddôl yn glasu.

A rhof fy ngofal i ddyfal ddofi
Gerwinder cyson gywreinder cwysi,
I roi yn addod ei chyfran iddi
O'r wledd y llynedd a roes i'm llonni;
Y ddôl a'm cynhaliodd i – â'i lluniaeth,
I hadu'i holyniaeth hyd eleni.

Bu hen werydu uwchben yr hadau,
Yn y mân bridd mae tom hen breiddiau,
Ac yno o hyd rhydd sofl hen gnydau
I eginyn ifanc egni hen hafau,
Cynhaeaf cynaeafau – sydd yno,
Yn aros cyffro y gwres i'w goffrau.

Bu hen gyfebron yn ei ffrwythloni
A'u hachles cynnes, ac yna'n geni
Eu lloi a'u hŵyn yng nghysgod ei llwyni
Yn gnydau gweiniaid, gan eu digoni

Â llaeth ei chynhaliaeth hi, – nes dôi'n rhan
I fychan egwan ei hun feichiogi.

Lle bu 'nhadau gynt yn rhwymyn trymwaith
Yn cerdded tolciau ar ddiwyd dalcwaith,
Mae'r pridd yn ir gan hen gerti'r gwrtaith,
Ac yn llifeirio gan eu llafurwaith,
Ac mae cloddiau goreugwaith – eu dwylo
Eto yn tystio i'w saff artistwaith.

Tybiaf y clywaf, yn sgrech aflafar
Y gwylain a'r brain sydd ar y braenar,
Gyson bladuriau hen ddoeau'r ddaear
Yn troi'u hystodau lle'r oedd trwst adar
Yn hinon yr haf cynnar, – a gwrando
Eu llyfn welleifio'n fy llyfnu llafar.

Ac yn fy ffroenau yn donnau danaf,
O dreigl y pridd daw arogl pereiddiaf
Crinwair yn hedfan pan dorrid gwanaf
Yn sglein y gawod ar nos G'langaeaf,
A hir res o fuchod braf, – drwyn am drwyn,
Wrth awen ei haerwy'n tarthu'n araf.

O'm gorsedd uchel dychmygaf weled
Eu lloi chwareugar yn llwch yr oged,
A graen bwyd mâl ar gwarteri caled
Eidion ieuanc a buwch a dyniawed,
A thew yn eu caethiwed – y bustych,
Ar ddilyw gorwych o'r ddôl agored.

Rwy'n gweled eto gwmni cymdogol
Y fedel araf a'i dwylo heriol,
Yn codi teisi yr hen grefft oesol
O'i rhwym ysgubau'n batrymus gabol,

Ac ar bob min werinol – yr hen iaith,
Yn nillad gwaith ei hafiaith cartrefol.

Gweld campwaith cywreinwaith helmwr cryno,
Bôn-i-linyn wrth araf benlinio,
A chloi saernïaeth uchel siwrneio
Ei gylchau haidd yn ddiogelwch iddo,
Yn gaer o gnwd rhag oer gno'r gogleddwynt,
A newyn dwyreinwynt pan drywano.

Gwaddol eu hirder sy'n glasu f'erwau
A hil eu hŵyn sy'n llenwi 'nghorlannau,
Ffrwyth eu hir ganfod yw fy ngwybodau,
Twf eu dilyniant yw fy ydlannau,
A'u helaethwych haul hwythau, – o'i stôr maeth,
Yn eu holyniaeth a'm cynnal innau.

★   ★   ★

Clyw ymdeithgan peiriannau, – a'u corws
        Cawraidd yn y caeau,
    Gwrando'u grŵn hyd y grynnau,
    Ac edrych mor wych yw'r hau.

Ffrwyth dawn a thrafferth dynion, – difai dwf
        Dyfais mecanyddion,
    Esmwythach gwrs amaethon
    Sy oddi ar sedd yr oes hon.

Lle troes â'i bâr ddaear ddwys, – a rhoi graen
        Ara'i grefft ar ungwys,
    Newidiodd o baradwys
    Caledi'r cel i dair cwys.

A than lasnef Mehefin, – o'i gae gwair
    Dwg ei gewri diflin,
  A'i sawr cras, y trysor crin
  Adref yn fyrnau hydrin.

Lle cyrchai'r wlad un adeg – i'w faes aur
    Fis Awst, ni ddônt 'chwaneg
  I gywain twf ei gnwd teg –
  Dau heddiw lle bu deuddeg.

        ★   ★   ★

Seren ni chny'n gysurus
Heno'i chil, mae'n domen chwys
Yn beichio cwyn ei baich cudd,
Gan flewynna'n aflonydd.
Mae poen ei thymp yn ei thor,
A gwasg ei phyliog esgor.

Y bore rwy'n hyderu
Y gwelaf lo braf o'i bru
Yn sodren ei ansadrwydd,
Yno yn rhemp sugnwr rhwydd,
Byw lygad, gwastad ei gefn,
Tew o'i fongwt i'w feingefn,
Dwyglust wleb ac wyneb gwyn,
Glewaf lo, gloyw'i flewyn.

Olynydd llaethog linach,
O gelf gyfrin Felin-fach,
A ddaw o'i wych addewid
I barhau haelioni'r brid,
A hulio stenau helaeth
Cynhaea llawn y can llaeth.

        ★   ★   ★

Had y Fridfa hyd f'aur ydfaes – a dyf
　　Yn deg hyd ei lawrfaes,
　　Eurlliw o drasau hirllaes
　　Y Morfa Mawr yw fy maes.

Daeth gwybodaeth helaethach – y gynau
　　Gwynion â thwf trymach,
　　Cynhaea'u dawn yw cnwd iach,
　　A lluniaeth erwau llawnach.

O briodas y trasau, – a gerddi
　　Bach gwyrddion y croesau,
　　Daeth in had weithion i'w hau
　　Nad â'r rhwd i'w ir ydau.

Ni thraidd hyd at ei wreiddyn – na llengau'r
　　Llyngyr chwaith na gwyfyn,
　　A saif fel ffon yno'n wyn
　　Drwy'r ha' gwyllta'i fraisg welltyn.

Yn erwau glas hwnt i'r glwyd, – diliau'r haf
　　I'r dail rêp a gronnwyd,
　　Ystorfa ffest o irfwyd,
　　A maes llaeth y tri mis llwyd.

Trwm yw'r cnwd lle bu'r cwdyn – giwana'n
　　Gynnar yn y flwyddyn,
　　A deuwell chwistrell na chwyn
　　Y miloedd blodau melyn.

Egin haidd, egni addysg, – a glewder
　　Hen galedi'n gymysg,
　　Boed lawn y grawn a graenus,
　　Gwyn fo'i dwf, gynhaeaf dysg.

★　　　★　　　★

Agor y bwlch i Gae'r Banc
A wnaf a'r haf yn ifanc,
I selio'n y cladd silwair,
I gân cog, ei ieuanc wair.

Torri arfod drwy'i irfaes,
Grym gêr, a mwg ar y maes,
A llynca'r fflangell wancus
Ei las gnwd fel sugno us.

Rhoi hem am fy mhatrymwaith
O sofl gwyn wrth gychwyn gwaith,
Gan ddwyn yr arlwy'n irlas,
A'i friw dwf i ferw y das,
I wasgu rhin sug yr haf
Yn stôr gwiw nes daw'r gaeaf,
A'i sawr surfelys iraidd
Hyd y cwm yn drwm a draidd.

Eto'r af a'r haf yn hŷn
I gae'r oed â'r gwair wedyn.

I Barc Cefn 'r Ydlan â thrwm beiriannau
Fy mrys i dewdwf y môr ystodau,
Awel o'r 'Werydd, haul ar ei orau
Yn crynu craster y cneufus erwau –
Haearnaidd res o fyrnau – fydd cyn nos,
Yn sawrus ddiddos, i aros ddyddiau.

A phan fo galed bilcorn Medi,
Hyd gwr fy ŷd 'e garaf oedi,
Cyn dod, a'r gwlith yn codi, – o'r chwannog
Gawr olwynog i'w aur haelioni.

Dro ar ôl tro i leibio'i lwybyr,
A'i fore ru ar wifrau'r awyr,
A hael lif y ffrwd lafur – yn cronni
O boen y cwysi'n bynnau cysur.

Mydr a stŵr lle bu'r medrus daro,
Crynu dwys lle bu'r cywrain deisio,
Rhwydd gombein lle'r oedd gambo, – ac afiaith
Medel unwaith, a thrymwaith rhwymo.

A'r man lle bu gynnau erwau gwyry
O faes cynheufus i'w gynaeafu,
Nid erys weithian ond sofl yn cannu
A byrnau crin lle bu aur yn crynu,
A rhigolau'n barau lle bu – cyson
Olwynion trymion yn ei batrymu.

Ond bydd y storws i'w drws o drysor,
Yn pantu o emau ŷd pentymor,
A phan ddaw llid y tymhestloedd didor
A hyllt y cedyrn yng ngallt y Cawdor,
Hyfryd, yn llwydni Chwefror, – cael eiliad
I daro llygad ar ei holl ogor.

Doed y dwyreinwynt a'i gorwynt garwaf,
I mi rhag newyn mae aur gynhaeaf,
Doed eira, cesair, doed y rhew casaf,
I'r fuches gynnes bydd gwlithog wanaf
O luniaeth helaeth yr haf, – a diddos
Wâl ym min nos tan y Clamai nesaf.

★   ★   ★

Yn y gwynt mae clychau gŵyl
Heno'n canu'n San' Cynwyl,
Bydded wych i'r Goruchaf
Ddiolch dyn yn nherfyn haf,
Am fod irder y gweryd
Yn adfywhau'i dwf o hyd.

Cywreinied côr nodau cain,
I'r Iôr eiriau arwyrain,
A dyger llysiau'r berllan,
Llawenydd lliw'n hedd y Llan,
Am fod, uwch yr Henfam fyth,
Olau'r haul i'r wehelyth.

Eilier mawl Huliwr y maes
Gan y dorf am gnwd irfaes,
A boed hael dan grib y tŵr
Ei glod ar wefus gwladwr,
Am noddi o'r myn eiddil
A'i ryw drefn parhad yr hil.

★   ★   ★

Tra bo dynoliaeth fe fydd amaethu,
A chyw hen linach yn ei holynu,
A thra bo gaeaf bydd cynaeafu
A byw greadur tra bo gwerydu,
Bydd ffrwythlonder tra pery – haul a gwlith,
Yn wyn o wenith rhag ein newynu.

MEDI

Y llwyni cnau yn llawnion – afalau
    Filoedd yn fochgochion;
    Brithwyd y berth hyd y bôn
    Yn dew gan fwyar duon.

HEL MWYAR DUON

Meddalai'r haul y byd
ac ni chafwyd chwa o wynt i'w rwystro.
Ninnau, buom yma drwy'r p'nawn
yn hel a phigo a bustachu
ynghanol drysni'r drain.
Disgleiriai'r chwys yn biws ar ein bysedd
a phawennai'r drain i'n cripio'n goch –
ond mynnem fel milwyr ddal ati.
Cwffio â'n breichiau noethion
neu â'r unig arf oedd ar gael –
hen ffon gerdded, gam.
Gwthio a chwipio a chipio
y sypiau trymion swil
a grynai'n betrus dan gaead y dail.
Archwilio'r ffrwyth o dro i dro
fel rhyw ddoctor-ysgol gwyngalchog
yn chwilio hogyn rhacsiog am chwain.
Bodio ambell un a gwenu'n heliwr
a'i chael yn slwts gwaedlyd ar flaenau bysedd
fel crachen a bigwyd yn rhy gynnar
oddi ar friw heb galedu'n iawn.
Eraill yn disgleirio'n gain fel clust-dlysau
wrth iddynt hongian rhwng ein bysedd.
Weithiau, nadreddu i ddyfnder y môr drain
ac ymestyn, ymestyn am ffrwyth brenhinol fel ceisio
nofio heb ollwng gafael ar y llawr.
Ond rhywsut, rhywfodd, llwyddo
nes bod ein tuniau'n
crynu'n groen drwm o gyffro
ac yn chwyddo'n fynyddoedd llachar, dyfrllyd.
A ninnau'n socian yn ein chwys.

Piws ein byd,
ein bysedd a'n tafodau a'n blys,
wrth borthi ein gwanc gyda'r nos.

Y CYNTA I WELD Y MÔR

Bod 'y cynta' i weld y môr,
dyna'r agosa' y down
at ddarganfod yn llygad-agored

Yr arlais, cyn inni ddidol
Yr aeliau sydd rhwng nef
A daear, gwagle a gweilgi.

Awn yn llawen tua'i chwerthin:
Cyrraedd at ymyl fflowns ei chwedlau,
Tafodau glas yn traethu gwirebau.

Am ennyd, syllwn heb allu deall
Ble mae'r dyfnder, y dwyfol nad yw'n datgan
Ei hun, wrth swatio'n y dirgel.

A gweld o'r newydd nad yw moroedd
Yn llai mirain, er i longau ddryllio
Ar greigiau, cans yno bydd y cyffro

Sy'n iasu yn ein geni'n frau o'r newydd.
Gweld y môr gynta' yw'r cynta'
Y down at ddarganfod gwir ryfeddod.

GWYN AP NUDD

Gwyn ap Nudd, Gwyn ap Nudd,
Lliw y lloer sydd ar dy rudd;
Cerddi'n ddistaw fel y nos
Drwy y pant a thros y rhos;
Heibio i'r grug a'r blodau brith
Ei, heb siglo'r dafnau gwlith:
Gwyddost lle mae'r llyffant melyn
Yn lletya rhwng y rhedyn;
Gwyddost lle daw'r gwenyn dawnus
I grynhoi eu golud melys:
Gweli'r hedydd ar ei nyth,
Ond ni sethri'r bargod byth;
Gwyn ap Nudd, Gwyn ap Nudd,
A lliw y lleuad ar dy rudd.

Breuddwyd wyt yn crwydro'r fro,
A'r ffurfafen iti'n do;
Cysgod cwmwl sy ar dy ben,
Amdanat mae y niwl yn llen.
Teithiwr wyt, pwy ŵyr dy daith?
Beth ond 'smaldod yw dy waith?

Pwy a welodd, Gwyn ap Nudd
Ddeigryn unwaith ar dy rudd?
Chwerthin – chwerthin – yw dy oes di,
O, dywysog pob direidi!

T. GWYNN JONES

LLE BACH TLWS

Y mae yno goed yn tyfu
    O gwmpas y lle bach tlws,
A dim ond un bwlch i fynd drwodd,
    Yn union 'run fath â drws.

Mae gwenyn o aur ar y brigau,
    A mwclis bach coch ar y coed,
A merched bach glân yno'n dawnsio
    Na welsoch eu tebyg erioed.

Dywedais wrth Idris amdano –
    Mae Idris yn ddeuddeg oed –
Ond erbyn mynd yno, doedd Idris
    Yn gweled dim byd ond coed.

Y CWM

Rwy'n ei weld rŵan o hyd,
y fuwch a'r llo'n cilfachu
dan y derw, a'r erw irwair,
rhai'n gwag-symera'n y gwair,
llawr cwm oll a'r caeau mân
llafurfawr nawr yn arian,
nawr yn aur ... tithau'r teithiwr,
be' weli di, heblaw ddŵr?

CWM PENNANT

Yng nghesail y moelydd unig,
  Cwm tecaf y cymoedd yw –
Cynefin y carlwm a'r cadno
  A hendref yr hebog a'i ryw:
Ni feddaf led troed ohono,
  Na chymaint â dafad na chi;
Ond byddaf yn teimlo fin nos wrth fy nhân
  Mai arglwydd y cwm ydwyf fi.

Hoff gennyf fy mwthyn uncorn
  A weli'n y ceunant draw,
A'r gwyngalch fel od ar ei bared,
  A llwyni y llus ar bob llaw:
Os isel yw'r drws i fynd iddo,
  Mae beunydd a byth led y pen:
A thincial eu clychau ar bwys y tŷ,
  Bob tymor, mae dwyffrwd wen.

Os af fi ar ambell ddygwyl
  Am dro i gyffniau'r dref,
Ymwrando y byddaf fi yno
  Am grawc, a chwibanogl, a bref –
Hiraethu am weled y moelydd,
  A'r asur fel môr uwch fy mhen,
A chlywed y migwyn dan wadn fy nhroed,
  A throi 'mysg fy mhlant a Gwen.

Mi garaf hen gwm fy maboed
  Tra medraf fi garu dim;
Mae ef a'i lechweddi'n myned
  O hyd yn fwy annwyl im:
A byddaf yn gofyn bob gwawrddydd,
  A'm troed ar y talgrib lle tyr
'Pam, Arglwydd, y gwnaethost Gwm Pennant mor dlws,
  A bywyd hen fugail mor fyr?'

CWM ALLTCAFAN

Fuoch chi yng Nghwm Alltcafan
Lle mae'r haf yn oedi'n hir?
Lle mae'r sane gwcw glasaf?
Naddo? Naddo wir?

Welsoch chi mo afon Teifi'n
Llifo'n araf drwy y cwm?
Welsoch chi mo flodau'r eithin
Ar y llethrau'n garped trwm?

A fûm i'n y Swistir? Naddo.
Na, nac yn yr Eidal chwaith,
Ond mi fûm yng Nghwm Alltcafan
Ym Mehefin lawer gwaith.

Gweled llynnoedd mwyn Killarney
Yn Iwerddon? Naddo fi;
Tra bu rhai yn crwydro'r gwledydd
Aros gartref a wnes i.

Ewch i'r Swistir ac i'r Eidal,
Neu Iwerddon ar eich tro,
Ewch i'r Alban, y mae yno
Olygfeydd godidog, sbo.

Ond i mi rhowch Gwm Alltcafan
Pan fo'r haf yn glasu'r byd,
Yno mae'r olygfa orau,
A chewch gadw'r lleill i gyd.

Welsoch chi mo Gwm Alltcafan,
Lle mae'r coed a'r afon ddofn?
Ewch, da chi, i Gwm Alltcafan,
Peidiwch oedi'n hwy . . . rhag ofn!

NANT YR EIRA

Mae tylluanod heno yn Nôl-y-garreg-wen,
mae'r glaswellt tros y buarth a'r muriau'n llwyd gan gen,
a thros ei gardd plu'r gweunydd a daenodd yno'u llen.

Tros fawnog lom Cwmderwen, mae'r plu yn amdo gwyn,
a'r ddwy das fel dau lygad nad ydynt mwy ynghyn,
a'r sêr yn llu canhwyllau draw ar allorau'r bryn.

Benwynion gwan y gweunydd, beth yw'r hudoliaeth flin
a droes yn sgrwd bob atgof a'r rhostir hen yn sgrin?
'Dim, namyn gormes Amser a dry bob gwiw yn grin.'

Ni ddychwel yr hen leisiau yn ôl i Fiwla try
flin drais y ddwylath gweryd; bu'n ormod iddynt hwy.
Bydd dawel, galon ysig, a phaid â'u disgwyl mwy.

Y mwynder hen a geraist, ffoes ar annychwel hynt,
diflannodd gyda'r hafau bereidd-dra'r amser gynt.
Nid erys dim ond cryndod plu'r gweunydd yn y gwynt.

ABERDARON

Pan fwyf yn hen a pharchus,
  Ag arian yn fy nghod,
  A phob beirniadaeth drosodd
A phawb yn canu 'nghlod,
  Mi brynaf fwthyn unig
Heb ddim o flaen ei ddôr
  Ond creigiau Aberdaron
A thonnau gwyllt y môr.

Pan fwyf yn hen a pharchus,
  A'm gwaed yn llifo'n oer,
A'm calon heb gyflymu
  Wrth wylied codi'r lloer,
Bydd gobaith im bryd hynny
  Mewn bwthyn sydd â'i ddôr
At greigiau Aberdaron,
  A thonnau gwyllt y môr.

Pan fwyf yn hen a pharchus
  Tu hwnt i fawl a sen,
A'm cân yn ôl y patrwm
  A'i hangerdd oll ar ben,
Bydd gobaith im bryd hynny
  Mewn bwthyn sydd â'i ddôr
At greigiau Aberdaron
  A thonnau gwyllt y môr.

Oblegid mi gaf yno
  Yng nghri'r ystormus wynt
Adlais o'r hen wrthryfel
  A wybu f'enaid gynt.
A chanaf â'r hen angerdd
  Wrth syllu tua'r ddôr
Ar greigiau Aberdaron
  A thonnau gwyllt y môr.

HEN BENNILL

Hardd yw Conwy, hardd yw Nefyn,
Hardd yw brigau coedydd Mostyn,
Harddaf lle rwy'n gallu 'nabod
Yn y byd yw dyffryn Meifod.

TAIR AFON

Fe gysgai tair morwynig
   Ar ben Pumlumon fawr,
Sef Hafren, Gwy a Rheidol,
   Yn disgwyl toriad gwawr.

Meddylient godi'n fore
   A theithio'n rhydd a llon
A chyrraedd cyn yr hwyrnos
   Eu cartre 'nghôl y don.

Dihunodd Gwy a Hafren
   O'u cwsg yn fore iawn,
A daethant 'rôl hir aros
   I'r môr yn hwyr brynhawn.

Ond cysgodd Rheidol ieuanc
   Heb bryder yn ei bron,
Ac wedi hwyr ddihuno,
   Rhuthrodd yn syth i'r don.

A dyna pam mae Hafren
   A Gwy'n ymdroelli'n faith
A Rheidol fach yn rhedeg
   Yn syth i ben ei thaith.

LLYNNOEDD

Pan ddaw y llu ymwelwyr ym merw gwyllt yr haf,
I gronni traeth a heol a'n holl lecynnau braf;
Caf innau ffoi i'r llynnoedd i brofi yno'r hud
Sy'n llechu rhwng y bryniau o gyrraedd miri'r byd.
Rhowch imi'r grug a'i borffor a hedd y mannau hyn,
Conach a Phlas y Mynydd, Nantcagal a Moel-llyn.

Mor hudol yw eu henwau, y digyfnewid griw,
Pob un yn gwylio'i fangre fel hen warchodwyr triw,
A'r haul fel mwyn dywysog yn bwrw'i fantell rudd
Ar wyneb llyfn eu dyfroedd, cyn rhoi ffarwél i'r dydd.
Rhowch imi'r grug a'i borffor a hedd y mannau hyn,
Conach a Phlas y Mynydd, Nantcagal a Moel-llyn.

Ac yng nghymanfa'r adar nes disgyn llenni'r nos,
Caf rodio pryd y mynnaf ar garped ffein y rhos;
Aed pawb i'r fan a fynno, caf innau felys awr,
Nes cwyd y lloer fel cryman dros grib Pumlumon Fawr.
Rhowch imi'r grug a'i borffor a hedd y mannau hyn,
Conach a Phlas y Mynydd, Nantcagal a Moel-llyn.

LLYNNOEDD ERYRI

Y llynnoedd gwyrddion llonydd – a gysgant
　　Mewn gwasgod o fynydd;
　A thyn heulwen ysblennydd
　Ar len y dŵr lun y dydd.

LLYN Y GADAIR

Ni wêl y teithiwr talog mono bron
   Wrth edrych dros ei fasddwr ar y wlad.
Mae mwy o harddwch ym mynyddoedd hon
   Nag mewn rhyw ddarn o lyn, heb ddim ond bad
Pysgotwr unig, sydd yn chwipio'r dŵr
   A rhwyfo plwc yn awr ac yn y man,
Fel adyn ar gyfeiliorn, neu fel gŵr
   Ar ddyfroedd hunlle'n methu cyrraedd glan.
Ond mae rhyw ddewin â dieflig hud
   Yn gwneuthur gweld ei wyneb i mi'n nef,
Er nad oes dim gogoniant yn ei bryd,
   Na godidowgrwydd ar ei lannau ef –
Dim byd ond mawnog a'i boncyffion brau,
Dau glogwyn, a dwy chwarel wedi cau.

Y GRIB GOCH

Gwaedda –
ni chynhyrfi braidd y llethrau hyn,
rhaeadr y defaid maen,
y panig di-fryd, di-fref,
y rhuthr pendramwnwgl, stond:
a fugeiliodd mynyddoedd iâ,
a wlanodd rhew ac eira a niwl,
a gneifiodd corwynt a storm
yng nglas y byd –
ni ddychryni'r rhain.

Gwaedda – tafl dy raff
(oni chipia'r gwynt dy edau o lais)
fil o droedfeddi crog
am gyrn y tarw-wyll sy â'i aruthr dwlc
rhyngot a'r dydd.

Gwaedda –
Ni thâl geiriau yma:
onid ddoe y ganwyd hwy,
y baban-glebrwyd hwy
mewn ogof fan draw?

MACHLUD YN ERYRI

Mae'r cymylau ar dân,
a'r haul sy'n cael y bai,
a'r gwreichion a'r lludw'n disgyn
yn genllysg ar doeau'r tai:

mae'r mynyddoedd ar dân,
ac yn ôl y rhai
sy'n gwybod, ar ryw losg fynyddoedd
o'r cynfyd mae y bai:

mae'r môr ar dân,
a'r llanw'n mynd yn llai,
ac wedi i'r fflamau ddiffodd
cawn grwydro cyn troi'r trai.

GLAW YNG NGHAERDYDD

Glawiodd drwy'r nos
glawiodd dair noson.
Codwyd y carpedi.
Llithrodd yr afon
yn dawel
hyd heolydd y ddinas
artiffisial,
gan siffrwd,
o, mor dyner
wrth y drysau gloyw.
Gludogrwydd du,
lliw pridd, lliw mwd,
yn llithro dan
y drws
a hanner ffordd
lan y grisiau.
Gweddïodd Mrs Jones,
'O Dduw, stopia'r glaw.'
Rhegodd Mr Jones
y dodrefn â gariodd
i'r llofft.
Stopiodd y glaw,
anghofiodd Mrs Jones am Dduw
a medyliodd am bapur wal
Sanderson.
Daliodd Mr Jones i regi
a hanner hiraethodd
y lletywr gwladaidd
wrth weld
duw'r afon
yn gwrthgilio.

YR ENFYS

Mae'n awyr las ers meitin,
   A dacw Bont y Glaw;
Wel, brysiwn dros y caeau,
   A thani law yn llaw.

Cawn eistedd yn ei chysgod,
   A holi pwy a'i gwnaeth,
Un pen ar grib y mynydd,
   A'r llall ar fin y traeth.

Mae saith o liwiau arni,
   A'r rheini'n dlws i gyd;
A gwnaed ei bwa meddir,
   O flodau gwyw y byd.

Ond dacw'r Bont yn symud –
   Pwy ŵyr i ble yr aeth?
Nid yw ar grib y mynydd,
   Na chwaith ar fin y traeth.

GWYNT

Yma i ruo mae'r rhewynt
A minnau'n gweld min y gwynt.
Drwy Aber daw i reibio
Slaes wrth slaes â'i rasal o
Groen y tir, gyr ewyn ton
Yn ferw gan lafoerion.

Daw'n un anterth o chwerthin
Hyd y ffyrdd heb 'nabod ffin.
Daw heb barch at enaid byw
Drwy'r cread, am nad ydyw'n
Malio dim am hwyliau dyn
Na'i reol, mwy na'r ewyn.

DATGYMALU CYLYMAU CYMYLAU

Draenog pigog ydi sirws,
nid tatws stwnsh fel cwmwlws,
na phyllau mân y stratws
yn yr awyr fawr,
fel llefrith
wedi'i dywallt
gan ryw gawr.
A phentwr o gerrig
yn gorffwys ar ddimbws
ydi cymylau
cwmwlo-nimbws.

Y STORM

Mae'r gwynt yn curo heno
Wrth ddrws yr Hafod Wen,
A minnau yn y gwely
A'r dillad dros fy mhen.

Mae'r glaw yn curo'r ffenest
A mil o fysedd mân,
Rwyf innau'n glyd a diddos
O dan y garthen wlân.

Os yw hi'n storm tu allan
A'r coed a'r caeau'n ddu,
Ni chaiff y gwynt na'r curlaw
Byth ddod i mewn i'r tŷ.

Chwyth fel y mynni, gorwynt,
Rhwng cangau'r deri mawr,
Mae'n gynnes yn y gwely –
Rwy'n mynd i gysgu nawr.

DAWNS Y DAIL

Fe waeddodd gwynt yr hydref,
  Mae'n waeddwr heb ei ail,
'Dewch i sgwâr y pentre i gyd
  I weled dawns y dail.'

Rwy'n mynd i alw'r dawnswyr
  O'r perthi ac o'r coed,
A byddant yma cyn bo hir
  Yn dawnsio ar ysgafn droed.'

I ffwrdd â gwynt yr hydref
  A'i sŵn fel taran gref,
A chyn bo hir fe ddaeth yn ôl
  A'r dawnswyr gydag ef.

Oll yn eu gwisgoedd lliwgar
  O'r glyn a choed yr ardd,
Rhai mewn melyn, gwyrdd a choch
  A rhai mewn porffor hardd.

A dyna'r ddawns yn cychwyn!
  O dyna ddawnsio tlws!
A chlywais innau siffrwd traed
  Wrth folltio a chloi'r drws.

Ond pan ddihunais heddiw
  Roedd pibau'r gwynt yn fud,
A'r dawnswyr yn eu gwisgoedd lliw
  Yn farw ar gwr y stryd.

HENAINT

Y ddeilen hon, neus cynired gwynt,
 Gwae hi o'i thynged!
 Hi hen; eleni ganed.

Wyf hen; wyf unig, wyf annelwig oer,
 Gwedi gwely ceinmyg,
 Wyf truan, wyf tri dyblyg.

Ni'm câr rhianedd, ni'm cynired neb;
 Ni allaf ddarymred.
 Wia angau na'm dygred.

Truan o dynged a dynged i Lywarch
 Er y nos y'i ganed:
 Hir nif heb esgor lludded.

DYSGUB Y DAIL

Gwynt yr hydref ruai neithiwr,
    Crynai'r dref i'w sail,
Ac mae'r henwr wrthi'n fore'n
    Sgubo'r dail.

Yn ei blyg uwchben ei sgubell
    Cerdd yn grwm a blin,
Megis deilen grin yn ymlid
    Deilen grin.

Pentwr arall; yna gorffwys
    Ennyd ar yn ail,
Hydref eto, a bydd yntau
    Gyda'r dail.

MAE'R COED YN MARW

Mae'r coed yn marw ym Margam,
    mae'r coed yn y Gilfach yn glaf;
mae'r coed drwy Gymru'n welw,
    yn welw ar ganol haf.

Mae'r coed ledled daear yn wylo,
    eu canghennau'n llusgo i'r llawr;
mae'r coed pendefigaidd yn pydru,
    pinwydd, gwinwydd – daeth eu hawr!

Pan welwn y coed yn dihoeni
    a'u brigau'n peri gofid a braw,
edrychwn tua'r nefoedd i weled
    a oes argoel am gawod o law.

Fe ddisgynnodd y gawod heddiw,
    y gawod i leddfu'r holl gur,
ond gwenwyn pob diferyn a gafwyd
    a'r gawod iachusol yn sur.

YR EIRA AR Y COED

Melfed ddistawrwydd hwyrol
   Fel llen ar ddrama'n cau
Nes rhannu'r byd synhwyrol
   A llwyfan serch yn ddau:
A'r brigau heb sŵn awel,
   A'r eira heb sŵn troed,
Cusanodd fi mor dawel
   Â'r eira ar y coed.

Clod i'r ystormydd nwydus
   Sy'n troelli'r eira'n lluwch,
   A'r gwynt ar gyrch arswydus
Yn rhuthro'n uwch ac uwch;
Ond wedi i'r angerdd dreiglo
   Daw saib hyfryta' erioed,
Pryd na bydd chwa i siglo
   Yr eira ar y coed.

Clod i'r ystorm o garu
   Sy'n lluwchio nwydau'r fron;
Ni wn i edifaru
   Erioed am angerdd hon.
Ond wedi'r iasau hirion
   Yn f'enaid byth arhoed
Atgof un cusan tirion
   Fel eira ar y coed.

BRIGAU'R TYMHORAU

(Yn yr Ardd)

Emrallt byw yn disgleirio,
brigau'n blaguro,
gwaed oen y llawr sy'n lliwio.

Gemau cochion yn ffrwytho,
brigau sy'n gwyro,
cynrhon bach fydd yn prifio.

Onics cynnes yn gwrido,
brigau sy'n fflamio,
croen dail sydd nawr yn crino.

Perlau gwynion yn pefrio,
brigau'n barugo.
Pam mae'r ddaear yn duo?

ARLUNWYR CWM CIL-FAEN

Daw'r Gwanwyn mwyn i Gwm Cil-faen
    Yn swil ar flaena'i draed,
  Ac ar ei balet haen ar haen
    O'r lliwiau glanaf gaed.
Ysgafn ar gynfas yw ei law
Yn paentio'r blodau yma a thraw.

Daw'r Haf, yr artist mawr ei ddawn,
    I liwio llwyn a dôl,
  A lleinw ef y llun yn llawn
    Heb adael bwlch ar ôl.
A phan fydd hwn ar ben â'i waith
Bydd wedi paentio dros bob craith.

Ac yn ei dro i Gwm Cil-faen
    Yr Hydref ddaw â'i frws,
  A phaentio'r dail i gyd â staen
    Ei liwiau cynnes, tlws.
Ni welsoch bertach llun erioed
Na thân yr Hydre'n nail y coed.

Pan ddaw y Gaeaf, artist llwm,
    I rodio Cwm Cil-faen,
  Mae'i liwiau'n brin a'i law mor drwm,
    A'i luniau'n ddu a phlaen.
Ond ef yw'r unig un, pan fyn
All baentio'r byd i gyd yn wyn.

Y FEDWEN

I lawr yng nghwm Cerdin
Un bore braf, gwyn,
A Mawrth yn troi'n Ebrill
A'r ŵyn ar y bryn;
Ni welais un goeden (ni welaf, rwy'n siŵr)
Mor fyw ac mor effro,
Mor hardd yn blaguro,
Â'r fedwen fach honno yn ymyl y dŵr.

A'r haf yng nghwm Cerdin
Fel arfer ar dro,
A'r adar yn canu
A nythu'n y fro,
Ni welais un goeden (ni welaf, rwy'n siŵr)
Mor llawn o lawenydd,
A'i gwyrddail mor newydd,
Â'r fedwen aflonydd yn ymyl y dŵr.

A'r hydre'n aeddfedu
Yr eirin a'r cnau,
A'r nos yn barugo
A'r dydd yn byrhau,
Ni welais un goeden (ni welaf, rwy'n siŵr)
Mor dawel a lliwgar,
A'i heurwisg mor llachar,
Â'r fedwen fach hawddgar yn ymyl y dŵr.

A'r gaea' 'mro Cerdin
A'r meysydd yn llwm,
A'r rhewynt yn rhuo
Drwy'r coed yn y cwm,
Ni welais un goeden (ni welaf, rwy'n siŵr)
Er chwilio drwy'r hollfyd –
Mor noeth ac mor rhynllyd,
Â'r fedwen ddifywyd yn ymyl y dŵr.

DANGOSAF ITI LENDID

Dere, fy mab,
  i weld rhesymau dy genhedlu,
  a deall paham y digwyddaist.
  Dangosaf iti lendid yr anadl sydd ynot,
  dangosaf iti'r byd
  sy'n erwau drud rhwng dy draed.

Dere, fy mab,
  dangosaf iti'r defaid
  sy'n cadw, mewn cusanau, y Gwryd yn gymen,
  y fuwch a'r llo yng Nghefen Llan,
  bysedd-y-cŵn a chlychau'r gog,
  a llaeth-y-gaseg ar glawdd yn Rhyd-y-fro;

  dangosaf iti sut mae llunio'n gain
  chwibanogl o frigau'r sycamorwydd mawr
  yng nghoed dihafal John Bifan,
  chwilio nythod ar lethrau'r Barli Bach,
  a nofio'n noeth yn yr afon;

  dangosaf iti'r perthi tew
  ar bwys ffarm Ifan a'r ficerdy llwyd,
  lle mae'r mwyar yn lleng
  a chnau y gastanwydden yn llonydd ar y llawr;

  dangosaf iti'r llusi'n drwch
  ar dwmpathau mân y mwsog ar y mynydd;

dangosaf iti'r broga
yn lleithder y gwyll,
ac olion y gwaith dan y gwair;

dangosaf iti'r tŷ lle ganed Gwenallt.

Dere, fy mab,
    yn llaw dy dad,
    a dangosaf iti'r glendid
    sydd yn llygaid glas dy fam.

Y BORDER BACH

Gydag ymyl troedffordd gul
  A rannai'r ardd yn ddwy,
Roedd gan fy mam ei border bach
  O flodau perta'r plwy'.

Gwreiddyn bach gan hwn-a-hon
  Yn awr ac yn y man,
Fel yna'n ddigon syml y daeth
  Yr Eden fach i'w rhan.

A rhywfodd, byddai lwc bob tro,
  Ni wn i ddim paham,
Ond taerai 'nhad na fethodd dim
  A blannodd llaw fy mam.

Blodau syml pobl dlawd
  Oeddynt, bron bob un,
A'r llysiau tirf a berchid am
  Eu lles yn fwy na'u llun.

Dacw nhw: y lili fach,
  Mint a theim a mwsg,
Y safri fach a'r lafant pêr,
  A llwyn o focs ynghwsg,

Dwy neu dair briallen ffel,
  A daffodil bid siŵr,
A'r cyfan yn y border bach
  Yng ngofal rhyw hen ŵr.

Dyna nhw'r gwerinaidd lu,
  Heb un yn gwadu'i ach,
A gwelais wenyn gerddi'r plas
  Ym mlodau'r border bach.

O bellter byd rwy'n dod o hyd
  I'w gweld dan haul a gwlith,
A briw i'm bron fu cael pwy ddydd
  Heb gennad yn eu plith,

Hen estron gwyllt o ddant y llew,
  Â dirmyg lond ei wên,
Sut gwyddai'r hen droseddwr hy
  Fod Mam yn mynd yn hen?

DEALL

Drwy'r hen fref, cyn bod llefydd – ar y map,
  cyn creu mur a hewlydd,
 fe wyddai defaid y dydd
 mai eu hŵyn biau'r mynydd.

HAWL

'Ni piau'r glesni,' medd y canghennau,
'gwlad y pelydrau uwch ein pennau.'

'Ni piau talaith y tir,'
medd y boncyffion yn orymdaith hir.

'A ni piau'r hen ffynhonnau
o'n gwerin hyd ein coronau.'

'Ni sy'n gwladychu'r ddaear,
medd y gwreiddiau, 'pob geni, pob galar.'

'Ein teyrnas yw'r tymhorau,' medd y dail,
'dagrau a gwanwyn, bob yn ail.'

'Ond gen i mae'r lli,' medd y gaeaf,
'a'r awch at y cynhaeaf,

'ac y fi piau'r waliau newydd
ar ôl chwalu'r coed olewydd.'

YR HEN LWYBRAU

'Run yn oes oesoedd yw llwybrau'r cread,
Yr un yw'r patrwm a'r un yw'r gwead;
Yr un afonydd sy'n llyfu'r ceulannau,
Yr un cysgadrwydd mewn hen, hen lannau;
Yr un yw'r patrwm a'r un yw'r gwead,
'Run yn oes oesoedd yw llwybrau'r cread.

Yr un sane gwcw, yr un blodau menyn,
Yr un aflonyddwch pan ddelo'r gwenyn;
Ar ôl pob Gwanwyn daw tes yr hafau,
Ar ôl pob Hydref daw'r llwyd aeafau;
Yr un yw'r patrwm a'r un yw'r gwead,
'Run yn oes oesoedd yw llwybrau'r cread.

Yr un yw sawr y rhosynnau cochion,
Yr un yw'r nentydd sy'n torri'n drochion,
Mae cyffro'r brithyll ar ddŵr hen lynnoedd,
Ac ias y dirgelwch mewn hen ddyffrynnoedd;
Yr un yw'r patrwm a'r un yw'r gwead,
'Run yn oes oesoedd yw llwybrau'r cread.

Yr un yw'r haul sy'n gloywi'r pellterau,
Yr un yw lleuad yr oer eangderau;
I blant y ddaear daw'r hen ddihewyd,
A beunydd beunos nid oes dim newid;
Yr un yw'r patrwm a'r un yw'r gwead,
'Run yn oes oesoedd yw llwybrau'r cread.